HOE OVERLEEF IK MEZELF?

Francine Oomen

Hoe overleef ik mezelf?

Met tekeningen van
Annet Schaap

Amsterdam · Antwerpen
Em. Querido's Uitgeverij BV
2008

Bekroond met de Prijs van de Nederlandse Kinderjury 2003, de Hotze de Roosprijs 2003 en de Prijs van de Jonge Jury 2004

Eerste druk, 2002
Twintigste druk, 2008

Deze filmeditie is uitgegeven met een licentie van Uitgeverij Van Holkema & Warendorf/Unieboek BV, Houten.

De gelijknamige film Hoe Overleef ik Mezelf? is geproduceerd door BosBros. Film-TV Productions.

Creatie posterbeeld: OY Communications
Omslagontwerp: Monique Gelissen

ISBN 978 90 451 0645 8 / NUR 283, 284

www.hoeoverleefik.nl
www.francineoomen.nl
www.queridokind.nl
www.hoeoverleefikmezelfdefilm.nl

Miss Piggy

Jonas de Leeuw

Van: Rosa van Dijk <rosavandijk@fastmail.com>
Aan: Jonas de Leeuw <jdl@xs22.nl>
Verzonden: dinsdag 11 mei 20.12
Onderwerp: Piggy-post

Hoi Joon de Boon,

Hoe gaat het met jou? Met mij niet zo goed. Ik heb een rotbui en ik heb de pest aan mezelf.
Bij ons in de klas heeft bijna iedereen een bijnaam. Ik dacht eerst dat ik er geen had omdat ik zo onbelangrijk was. Maar helaas, gisteren liep ik door de gang en toen hoorde ik twee meisjes uit mijn klas fluisteren: 'Moet je eens kijken wat miss Piggy vandaag nou weer aanheeft!'
En toen knorde dat andere meisje en ze barstten allebei in lachen uit.
Ik keek om me heen om te kijken of ze het over iemand anders hadden, maar er was verder niemand.
Ik kreeg een kop als een boei en wist niet hoe snel ik weg moest komen.
Er zijn een heleboel verschillen tussen miss Piggy en mij. Zij denkt dat ze beeldschoon en populair is. Ik vind mezelf echt verschrikkelijk. Miss Piggy is een schoonheid vergeleken met mij. Zij is iemand met een persoonlijkheid. Ik heb geen persoonlijkheid, of ik heb haar in ieder geval nog niet kunnen ontdekken. Ik ben te dik, ik heb blonde sprietkrullen, pukkels als een

krentenbol, ik draag stomme kleren en weet nooit iets grappigs te vertellen. Ik moet altijd heel hard om miss Piggy lachen. Niemand lacht ooit om mij.
Eén ding klopt wel: miss Piggy is niet slim en dat ben ik ook niet. Hoe hard ik ook leer, ik haal alleen maar vijven en zessen, of nog erger.
Miss Piggy heeft een enorme boezem. Mijn borsten zie je nog niet als je ze onder de microscoop legt. Daarom vindt geen enkele jongen mij leuk, denk ik. Mijn enige aanbidder is Appie Garnaal, mijn halfbroertje, maar die is pas elf maanden en telt dus niet mee.
De meeste meisjes in mijn klas hebben verkering, of in ieder geval wel eens verkering gehad. Met jou heb ik al bijna twee jaar Internet Verkering, maar dat is niet écht. Zoenen met het beeldscherm van je computer is niet echt lekker.
Was ik maar zoals Karien. Haar bijnaam is Bambi omdat ze zo slank is. Ze heeft kilometerslange benen en enorme bruine ogen, met wimpers tot over haar wenkbrauwen. Ze is waanzinnig populair. Zonder er iets voor te doen haalt ze achten en negens, ze heeft verkering met de leukste jongen uit 3 gym, plus een reserve van minstens 12 aanbidders.
Op ieder feest wordt ze uitgenodigd, zelfs van de hogere klassen. Het rare is dat zij de enige is in de klas die nog een beetje aardig tegen me doet. Maar ik verdenk haar ervan dat ze medelijden met me heeft. Of ze doet het omdat zij extra mooi afsteekt als wij naast elkaar lopen.
Mijn moeder en Alexander hebben het druk met hun werk, met elkaar en met Appie-broek-met-kakkie, en ze hebben nooit tijd voor mij.
Wat moet ik doen?

Veel knors van miss Piggy

Rosa leunt naar achteren en leest de mail over. Wat een stomme brief. Alleen maar geklaag en gezeur.
Wat moet Jonas wel van haar denken als hij dit leest? Ze kan hem beter wegdoen.
Haar vinger zweeft boven de *Delete*-knop. Zou je eigenlijk een

mail naar jezelf kunnen sturen? Ze typt haar eigen adres in, drukt op *Verzenden* en wacht.
Na een paar seconden komt de mail binnen. Ha, dat is leuk! Zo krijgt ze tenminste nog eens post.
Ze leest de mail nog een keer over. Dan drukt ze op *Beantwoorden* en begint te typen.

Rosa van Dijk

Van:	Rosa van Dijk <rosavandijk@fastmail.com>
Aan:	Rosa van Dijk <rosavandijk@fastmail.com>
Verzonden:	dinsdag 11 mei 20.36
Onderwerp:	Me-mail

Beste miss Piggy,

Er zijn verschillende mogelijkheden:
a) Laat de slager karbonaadjes van je maken
b) Ga in een klooster en word non
c) Zoek een goede plastische chirurg
d) Vind een nieuwe Rosa uit, eentje die iedereen leuk vindt

De laatste oplossing lijkt me het eenvoudigst. Hier zijn wat tips voor je:
1. Doe aan de lijn, val minstens vijf kilo af
2. Neem een ander kapsel
3. Zorg voor een andere outfit
4. Doe een cursus filmsterrenmake-up
5. Onthaar je benen (het lijkt wel een oerwoud)
6. Maak een ander model wenkbrauwen
7. Neem een piercing, dat staat stoer
8. Doe iets waardoor je opvalt en waardoor de mensen je bewonderen

Succes ermee, want dat zul je wel nodig hebben.

Rosa

'Even flink zijn, miss Piggy.'
Rosa staat voor de spiegel. Ze heeft tranen in haar ogen. Ze had niet gedacht dat het epileren van haar wenkbrauwen zo'n pijn zou doen. En tot waar moet ze de haartjes eigenlijk weghalen?
Ze kijkt naar het plaatje uit het modetijdschrift dat ze op de spiegel geplakt heeft. Het moeten mooie, sierlijke boogjes worden. Maar ze zijn bijna onzichtbaar geworden en de huid onder en boven haar wenkbrauwen is knalrood. Zo loopt ze straal voor gek. Koortsachtig denkt ze na. Er is een aantal mogelijkheden.
Of ze plakt haar pony vast op haar voorhoofd, zodat haar wenkbrauwen niet te zien zijn, of ze tekent ze bij met een wenkbrauwpotlood. Of ze doet een muts of een pet op. Maar dat mag niet in de klas.
Een hoofddoek kan ook. Als ze zegt dat ze moslim is geworden, hoeft die niet af...
Er wordt op de deur geklopt.
'Rosa, wat doe je zo lang in de badkamer?' roept Alexander.
'Heb je niks mee te maken!' roept ze terug. 'Stomme Apenbil,' fluistert ze erachteraan.
'Rosa, ik moet naar mijn werk en ik moet me nog scheren.'
'Ik ook!' roept Rosa.
'Wat?' Alexanders stem klinkt geïrriteerd.
'Grapje.'
'Ik lach me een deuk. Maar schiet nou op, ik heb haast!'
'Jaha.'
Nu is het oerwoud aan de beurt. Rosa pakt de bus scheerschuim en spuit haar beide benen van onder tot boven vol. Vorige week met gymnastiek was ze door de grond gezakt van schaamte. Edith had naar haar benen gewezen en uitgeroepen: 'Hé meiden, moet je eens kijken. Rosa heeft apenpootjes!'
Bulderend gelach. 'Hé, Rosa, ooit van een ladyshave gehoord?'
'Of van een scheermes? Misschien is een kapmes beter. Dadelijk krijg je nog luizen in dat oerwoud!'
Wat een afschuwelijke rotkinderen. Ze wist niks terug te zeggen. Ze werd alleen maar knalrood en trok snel haar broek aan.
Karien nam het voor haar op en zei: 'Hè, doe niet zo flauw. Laat Rosa met rust.'

Makkelijk praten als je zulke benen hebt als zij. Bruin, slank en superglad.
Gelukkig lieten ze haar daarna met rust. Iedereen ging door met kletsen en giechelen en niemand keek meer naar haar om.
Een klooster zou toch nog niet zo'n gek idee zijn. Nonnen hoeven vast en zeker nooit te gymmen. En ze dragen van die fantastische soepjurken, waardoor je niet kunt zien of je vijfenveertig of vijfenzeventig kilo weegt. Geweldig. Net zoals Julie Andrews in *The Sound of Music.* Met zo'n lieve moeder-non die altijd wijze raad geeft.
Haar moeder bonst op de deur. 'Abel heeft een poepbroek, doe eens open.'
'Nee, ik ben bezig!' roept Rosa. 'Ik moet mijn haar nog wassen.' Snel zet ze de douche aan.
'Schiet nou op, Roos! Je zit er al bijna drie kwartier! Wat doe je toch allemaal?'
'Ik ben mijn fietslampje aan het repareren.'
'Grappig, haha! Schiet nou op, alsjeblieft.'
'Jaha! Rustig nou maar. Ik ben bijna klaar.'
Rosa zet het scheermesje op haar knie. Ze heeft geen flauw idee hoe het moet. Van boven naar onder of van links naar rechts? Waarom heeft zij geen wijze moeder die haar raad geeft? Ze kan zich al helemaal voorstellen wat haar moeder zou zeggen als ze het haar zou vragen: 'Wat? Je benen scheren? Wenkbrauwen epileren? Geen sprake van, daar ben je nog veel te jong voor. Als je zestien bent, dan praten we verder.' Pff, zestien, dan is ze al bijna bejaard.
Strepen bloed vermengen zich met het scheerschuim. Maar ze heeft gym vandaag, dus ze moet doorzetten.
Au! Nog een snee. Dit kan toch niet de bedoeling zijn? Het begint zo langzamerhand meer op een verkeersongeluk te lijken!
Ze spoelt haar benen af en bekijkt het resultaat. Er zitten welgeteld acht sneetjes op haar benen, waar donkere druppels bloed uit opwellen. Maar haar benen zijn in ieder geval glad. Het oerwoud is gekapt.
Ze schudt met de bus scheerschuim. Bijna op, dan kan ze hem net zo goed even helemaal leegmaken. Met grote zwierige letters schrijft

ze een R op de witte tegels van de muur. Dan een O. De letter S lijkt ook meer op een O en de S lukt ook al niet. ROOZ staat er. Rosa bekijkt het resultaat met een scheef hoofd. Mmm... Rooz. Coole naam.
Ze stapt op de weegschaal. Zestig kilo. Veel te veel. Vandaag begint ze met lijnen.
'Rosa! Doe onmiddellijk open. NU!'

Esther Jacobs

Van:	Rosa van Dijk <rosavandijk@fastmail.com>
Aan:	Esther Jacobs <esther@xs42.nl>
Verzonden:	woensdag 12 mei 21.31
Onderwerp:	Rooz is booz

Hoi die Es,

Stik, ik heb alweer kamerarrest. Het lijkt onderhand wel of ik een tot levenslang veroordeelde crimineel (crimineuse?) ben, in plaats van een onschuldig schoolgaand meisje van 14.
Nou, helemaal onschuldig ben ik niet. Ik zal even opnoemen wat mijn misdaden waren: grote mond; vanmorgen een hele bus scheerschuim leeggespoten, zodat Apenbil zich met shampoo moest scheren; de badkamer anderhalf uur bezet gehouden, zodat iedereen te laat was; weer een grote mond; geweigerd om de tafel af te ruimen; per ongeluk (heus) een bord laten vallen; weer brutaal; deur zo hard dichtgesmeten dat er een halve muur naar beneden kwam; etc... etc...
En erg schoolgaand ben ik ook niet. Gespijbeld van gym vandaag. (Met de goeie ouwe ongesteldheidssmoes.)
Ik kon niet meedoen omdat ik voor het eerst mijn benen geschoren had.
Ik moest met de ambulance naar de EHBO om de slagaderlijke bloedingen te laten stelpen. Grapje, hoor, maar ik bloedde wel als een gek. Mijn moeder heeft gelukkig nog niet de

(niet meer zo witte) handdoek ontdekt, die ik onder in de wasmand gepropt heb.
Een heel vervelend kind uit mijn klas had me tijdens de vorige gymles uitgemaakt voor behaarde aap. Ik schaamde me dood.
Vanmorgen heb ook voor het eerst mijn wenkbrauwen geëpileerd. Dat is helaas geen succes geworden, zodat ik nu genoodzaakt ben mijn pony met lijm op mijn voorhoofd vast te plakken. Niemand heeft gelukkig tot nu toe ontdekt dat er iets vreemds met me aan de hand is.
Ik ben vanmiddag in een feestwinkel geweest, want ik kreeg een fantastisch idee, namelijk dat ze naast nepsnorren en nepbaarden misschien ook wel nepwenkbrauwen zouden verkopen. Van die mooie filmsterrenmodellen. Maar helaas, die waren er niet. Ze hadden wel Muppet-maskers! Ik heb er nog even over gedacht om met een miss Piggy-masker op naar school te gaan, maar dat durfde ik toch niet. Ik heb ballonnen voor Appie gekocht. Hij vond ze heel leuk, vooral toen ik ze met water vulde en hij ze met een vork kapot mocht prikken. Helaas vond mijn moeder het iets minder, omdat je kon pootjebaden in de woonkamer toen alle ballonnen lek waren.
Je zult je wel afvragen wat ik aan het doen ben, met al dat geklus aan mezelf. Ik heb besloten om mezelf opnieuw uit te vinden, want ik ben niet tevreden met hoe ik eruitzie en hoe ik ben.
Ik vind dat ik dik, lelijk, onopvallend en oninteressant ben en dat vindt iedereen om mij heen ook, volgens mij.
Ik heb besloten dat ik heel bijzonder ga worden. Bewonderd, beroemd en verafgood. Zodat ik – als ik naar de stad ga – een vermomming moet dragen, een baard en een zonnebril en een regenjas. Omdat ik anders aangevallen word door een horde gillende fans. En ik word omringd door drie knappe bodyguards.
Over de stad gesproken, weet je dat ik laatst met mama aan het winkelen was en dat een paar stratenmakers naar háár floten in plaats van naar mij? Terwijl ze al 39 is. Zo goed als bejaard! Dat komt vast doordat zij hartstikke slank is, met

hoge hakken en knalrode lippenstift. En ik loop erbij als een soort koekiemonster, met pukkels en duffe, kinderachtige kleertjes aan.
Mijn moeder denkt dat ik nog steeds een kleuter ben. Dit zijn voorbeelden van dingen die ik niet mag:
- ringetjes in mijn oren of in enig ander lichaamsdeel
- hoge hakken met netkousen
- knalrode lippenstift of andere make-up
- geverfde haren
- een facelift
- kleedgeld
- bier en/of sterkedrank
- zelfs geen cola, want dat is slecht voor mijn maag
- snoep met kleurstof
- witbrood, maar wel keihard, biologisch turbovolkoren
- sigaren of sigaretten, drugs, pillen, spuiten... niks!

Met veel zeuren krijg ik een aspirientje als ik hoofdpijn heb, want die zijn volgens haar ook al slecht voor je maag. Door Alexander is mijn moeder een gezondheidsfreak geworden. Vandaar dat ik er zo ongezond uitzie. Ik krijg alleen nog maar ongelofelijk vies, biologisch eten, omdat Alexander dat wil. Bruine rijst met linzen, jakkes! Kikkererwten met gierst en andijvie, bwlah! Nooit meer eens een lekker knalgeel puddinkje of zachte broodjes. Er is zelfs nauwelijks snoep in huis! Alleen taaie, biologische lange vingers voor Appie-Happie.
Weet je, bepaalde dingen uit bovenstaand lijstje hoef ik ook helemaal niet, hoor, maar het gaat om het principe: de vrijheid van een veertienjarige!
Zorry-knorrie dat ik zo zeur. Hoe gaat het met jou? Heb jij je tussenrapport al gekregen?
Ik wel, en ik ben heel verstandig geweest: ik heb het goed verstopt. Als ik het aan mijn moeder en Apenbil laat zien, dan krijgen ze een duo-rolberoerte.
Mijn moeder zit er altijd op te hameren dat ik goeie punten moet halen, omdat ik later moet gaan studeren en zo. Ze is alleen tevreden met negens en tienen. Ik zal maar niet zeggen

wat voor punten ik haal. Alles bij elkaar was het ongeveer een tien.
Verder gaat het hartstikke goed met mij!

De meelballen van:

ROOZ

(Dat is mijn nieuwe naam, die bij mijn nieuwe imago hoort.)

Poep aan je schoen

'Ik hoef geen boekweit en ook niet zo'n vieze vegaknakker.'
'Dat heet een vegetarische knakworst. Ik dacht dat je die lekker vond. Je kunt echt niet leven van zo'n beetje spinazie. Je bent in de groei!'
'Ik heb geen honger.'
'Je eet minstens drie happen boekweit,' zegt haar stiefvader bars. 'Dat is hartstikke gezond. Eerder ga je niet van tafel. Desnoods blijf je hier de hele avond zitten.'
Rosa ziet dat haar moeder Alexander een waarschuwende blik toewerpt.
'Zeg, hallo! Ik ben geen klein kind meer, hoor!' roept Rosa. 'En waar bemoei jij je eigenlijk mee? Jij hebt niks over mij te vertellen.' Ze duwt haar bord van zich af en staat op. 'Toe mam, mag ik het laten staan? Ik heb buikpijn...'
'Rosa, ga zitten en eet je bord leeg!' buldert Alexander.
'Alex, een beetje dimmen, alsjeblieft,' zegt haar moeder. 'Als het kind toch buikpijn heeft...'
'Heleen, je laat met je sollen!' roept Alexander boos. 'En je ondermijnt mijn gezag. Ouders moeten één lijn trekken. Ga naar je kamer, Rosa.'
'Je bent mijn ouder helemaal niet!' schreeuwt Rosa. 'Trek een streep door jezelf!'
Rosa smijt de deur achter zich dicht en rent naar boven. Dan bedenkt ze zich en ze holt nog drie keer de trap op en af. Goed

voor de lijn. Ze hoort dat Alexander en haar moeder ruzie maken en stampt extra hard op de treden.
'Roos, wat doe je nou? Abeltje slaapt! Wat heb je toch?' roept haar moeder.
Rosa geeft geen antwoord, maar rent de volgende trap op, naar haar zolderkamer.

Als ze hijgend op haar bed neerploft, hoort ze dat haar broertje inderdaad begint te huilen. Ze wacht even. Als er geen reactie van beneden komt, sluipt ze de trap af. Zachtjes doet ze de kamerdeur open. 'Hallo Appie!' fluistert ze.
Haar broertje houdt meteen op met huilen. Hij trekt zich op aan de spijlen van het bedje en strekt twee mollige armpjes naar haar uit. 'Ooos!' roept hij stralend.
Rosa laat zich op haar knieën vallen en kruipt vliegensvlug naar de andere kant van zijn bedje. 'Kiekeboe Appie-appelflappie!'
Abeltje gilt het uit van de pret en grijpt in haar haren.
'Au!' roept Rosa. 'Laat los, jij kleine schurk!'
Met moeite kan ze zijn handen uit haar krullen losmaken.
Ze tilt hem op en ruikt aan zijn broek. 'Getver, Appie heeft een broek met kakkie!'
Rosa legt de baby op de commode en trekt met een vies gezicht zijn luier uit.
'Oos, oos!' kraait Abeltje vrolijk, terwijl hij probeert een vinger in haar oog te prikken.
Rosa gooit de luier op de grond, poetst Abeltjes billetjes en doet hem geroutineerd een schone broek aan. Dan tilt ze hem op en ze neemt hem mee naar boven.
Beneden klinken nog steeds de boze stemmen van haar moeder en Alexander. Rosa drukt de baby stevig tegen zich aan en fluistert in zijn oor: 'Niet luisteren, Appie-happie, die stomme grote mensen maken weer eens ruzie.'
Rosa legt hem op haar bed. Ze pakt haar discman en gaat naast hem liggen. Abeltje kraait en probeert de oortelefoons te pakken te krijgen.
'Wil je ook luisteren, moppie? Moet je horen, dit is een hartstikke cool nummer.'

Ze stopt de oortelefoons voorzichtig in zijn oren. Haar broertje is meteen stil en kijkt haar met grote ogen aan. Rosa lacht om de verbaasde uitdrukking op zijn gezicht. Ze begraaft haar gezicht in zijn buik, zodat de baby het uitschatert.
Op dat moment stormt Alexander de kamer binnen. Hij heeft één schoen aan en de andere in zijn hand. Er zit een klodder poep aan. Rosa knijpt giechelend haar neus dicht.
'Hoe durf je te lachen, brutaal kind! Punt één: ik schrik me dood omdat Abel niet in zijn bed ligt; punt twee: ik stap in de poep; punt drie: jij lacht me uit!'
Rosa proest het uit.
Dan krijgt Alexander in de gaten dat Abeltje oortelefoons in heeft. 'En punt vier: jij zit dat kind doof te maken! Ben je nu helemaal gek geworden?' Hij rukt ze van Abeltjes hoofd, die van schrik begint te huilen.
Rosa krimpt in elkaar. Soms is ze bang dat Alexander zijn zelfbeheersing verliest en haar een klap zal geven. Dat heeft hij één keer eerder gedaan en dat zal ze nooit vergeten.
'Een maand huisarrest!'
'Ik weet nog iets beters!' roept Rosa. 'Zet me op water en brood! Bind me met kettingen aan de muur vast! Martel me!'
'Je brengt me op een idee!' roept Alexander woedend en hij stampt de kamer uit, met de krijsende baby over zijn schouder. 'En als je je niet beter gaat gedragen, pak ik je computer af!' roept hij vanaf de gang.
Rosa smijt de deur achter hem dicht, laat zich op haar bed neervallen en barst in huilen uit.

Rosa van Dijk

Van:	Esther Jacobs <esther@xs42.nl>
Aan:	Rosa van Dijk <rosavandijk@fastmail.com>
Verzonden:	donderdag 13 mei 18.21
Onderwerp:	Zzzzorgen & Tipzzz

Hoi Rooz de Abrikooz,
(hum, klinkt iets minder dan Roos de Abrikoos)

Bedankt voor je meeltje.
Ik schrok er wel van, hoor. Waarom ben je zo somber? Waarom wil je anders zijn? Je bent prima zoals je bent. Echt heus serieus eerlijk waar!
Volgens mij voel je je gewoon een beetje eenzaam. Dat begrijp ik best, hoor. Je bent verhuisd van Den Bosch naar Groningen. Je ouders zijn gescheiden en je moeder is gaan samenwonen met Alexander Apenbil. Je hebt nog niet zo veel vrienden op je nieuwe school en je hebt een halfbroertje gekregen dat veel aandacht vraagt. Je moeder werkt sinds kort weer, en als allerergste: je mist je supergeweldige schat van een vriendin Ez de Flez! Jonas, je knappe internetlover, woont aan de andere kant van de wereld, in de donkere rimboe van Zuid-Limburg. En je ziet je vader weinig. Dat valt ook allemaal niet mee.
Weet je wat het is? Als je gaat denken dat niemand je aardig vindt, dan is dat ook zo. En dan wordt het steeds erger. Dat had ik ook toen ik vorig jaar zo gepest werd op school. Weet je nog, met dat 'Jampotje!' de hele tijd. Je kunt dus beter je gedachten veranderen dan je uiterlijk. Je moet Positieve Dingen denken! Je gaat gewoon elke ochtend voor de spiegel staan en zegt honderd keer achter elkaar, met een big smile: 'Ik hoef niet anders te zijn dan ik ben, want ik ben hartstikke aardig, leuk en knap, en iedereen is dol op mij. Vandaag wordt het een geweldige dag!'
En dan moet je het wel geloven natuurlijk. Halleluja! Ik lijk wel een dominee.
Verder volgen hier wat tips hoe je van overtollig haar af kunt komen. Heb ik in een tijdschrift gelezen.

Survivaltip 1 – De ideale wenkbrauw
Haal alleen de haartjes tussen je wenkbrauwen weg, als die er zijn, en wat haartjes aan de onderkant van je wenkbrauwen. Niet aan de bovenkant dus en vooral niet te veel. Je natuurlijke wenkbrauwboog is het mooist, probeer er dus niet iets heel anders van te maken.
Je kunt ook naar de schoonheidsspecialiste gaan en het daar de eerste keer laten doen. Dat kost tussen de 7 en 10 euro.

Survivaltip 2 – De gladste benen & oksels
Je kunt op verschillende manieren ontharen:
1. Met ontharingscrème
Erop spuiten, even in laten werken en afspoelen, klaar is Kees. Nadeel: het is duur en het stinkt. (Persoonlijk vind ik dat spul een beetje eng. Stel dat je benen ook langzamerhand oplossen!)
Voordeel: het is makkelijk.
2. Met de scheerspullen van je vader (Scheermesje en scheerschuim)
Spuit wat schuim op je onderbenen en/of oksels. Wrijf het gelijkmatig uit. Zorg dat je een scherp mesje hebt.
Gewone goedkope wegwerpmesjes werken prima. Die dure damesdingen zijn nergens voor nodig.
Je kunt van boven naar beneden, maar ook omgekeerd scheren, maakt niet uit. Doe het wel systematisch, dus baan na baan. Spoel tussendoor telkens even het mesje schoon, anders raakt het verstopt met kleine haartjes. Voel, als je klaar bent, even of je niks overgeslagen hebt. Goed afspoelen.
Je kunt het onder de douche doen of, als je lenig bent, met je been in de wasbak. (Eén been tegelijk, haha.)
Als je klaar bent, insmeren met bodylotion.
Nadeel: pas op dat je je niet snijdt. Na een dag of drie, vier komen er weer stoppeltjes.
Voordeel: makkelijk, goedkoop, snel en pijnloos. (Tenzij je je snijdt natuurlijk.)
Je kunt ongeveer 10 keer met een (wegwerp)mesje doen.
3. Met een ladyshave
Gaat ook heel gemakkelijk. Gewoon scheren, tegen de richting van de haargroei in.

Nadeel: een ladyshave is duur en ze zijn niet allemaal even goed. Soms krijg je je benen er niet goed glad mee. Sommige doen pijn.
Voordeel: je hebt er geen badkamer voor nodig, je kunt je niet snijden.
4. De epilady
In plaats van scheren, trekt dat ding de haartjes eruit.
Nadeel: het voelt aan alsof je geëlektrocuteerd wordt.
Voordeel: haartjes groeien iets minder snel aan.
5. Harsen
Plak de harsstrips op je benen, even laten inwerken en eraf rukken.
Nadeel: het doet ver-schrik-ke-lijk pijn! Harsstrips zijn niet goedkoop. Het is een heel gedoe.
Voordeel: de haartjes blijven wel lang weg.

Ik had ook nog nooit mijn benen onthaard, dus ik keek er eens goed naar en: ieks! allemaal zwarte haartjes. Toen heb ik dus zo'n harsplakstrip van mijn moeder uitgeprobeerd.
Aiiiii! Ik sprong tegen het plafond van de pijn. Die dingen zijn vast niet door een vrouw, maar door een sadistische kerel uitgevonden.
Nu heb ik één gedeeltelijk onthaard been. Er is geen man, dus ook geen scheermes in huis. En de winkels zijn dicht. Wat nu? Ik heb morgen gym!
Met mij gaat het, afgezien van dat gemartelde been, best goed.
Mijn moeder is wel vaak weg voor haar werk. Ze heeft hartstikke veel succes met haar kledingontwerpen.
Zeg, je mag zo veel tegen me aan zzzzzzeuren als je wilt, hoor! Daar zijn vriendinnen voor.

Nou, de woelewapjes en hou je taai!
Veel groeten van dominee Ezzzzz

P.S. Krijg je die lijm nog wel uit je haar?

Esther Jacobs

Van: Rosa van Dijk <rosavandijk@fastmail.com>
Aan: Esther Jacobs <esther@xs42.nl>
Verzonden: vrijdag 14 mei 23.21
Onderwerp: Zuperzlank

Lieve dominee (domineuze?) Ez,

Nee, ik denk dat die lijm er nooit meer uitgaat. Het was van dat super-turbo-plakspul.
Het jeukt als een gek. Maar mijn wenkbrauwen zijn onzichtbaar en daar gaat het om. Niemand heeft het nog gemerkt.
Hartstikke bedankt voor je tips. Waarom ontharen mannen eigenlijk hun benen niet? En waarom scheren ze zich niet met ontharingscrème? Is toch veel makkelijker?
Het is al hartstikke laat, maar ik kan niet slapen van de honger.
Dat van die Positieve Dingen denken werkt niet echt bij mij. Ik zei vanmorgen tegen mezelf in de spiegel dat ik zo leuk en knap was en zo, en weet je wat mijn spiegelbeeld toen deed? Ze trok een gezicht en tikte tegen haar voorhoofd. Haha.
Ik ga eerst maar eens van gewicht veranderen. Ik wil minstens vijf kilo afvallen. Als ik zit, heb ik vier vetrolletjes. Ik heb in modetijdschriften gekeken, fotomodellen hebben er geen één! En heb je wel eens naar MTV gekeken? Al die meisjes zijn beeldschoon en superslank, met prachtige, platte, bruine buiken! Zo wil ik ook worden. Met een navelpiercing.
Jij kunt wel zeggen dat ik goed ben zoals ik ben, maar dat is niet zo. Ik ben een blubberbom, een drilpudding, een olifant. Miss Piggy is broodmager vergeleken met mij.
Ken je die rubriek in de *Francy*, met *Voor* en *Na*?
Dan zie je zo'n onopvallend meisje met bleke wangen en piekhaar en dan wordt ze opgelapt en is ze opeens een stralend mooie filmster, waar iedereen van achterovervalt.
Dat ga ik ook doen, bij mezelf dan. Ik durf natuurlijk niet in zo'n tijdschrift, want dan lacht iedereen me uit.
Alexander en mijn moeder hebben de laatste tijd hartstikke

veel ruzie. Vaak om mij, maar ook over Appie. Alexander is van de strenge afdeling, mama van de softe. Ze zijn het nooit met elkaar eens. Jij boft maar, bij jou thuis is het lekker rustig, alleen je moeder en jij.
Ik zal trouwens die ontharingstips aan Apenbil doorgeven. Driemaal raden waarom ik hem zo noem!
Ik heb nu allemaal korstjes op mijn benen, van het scheren, en ik kan er niet afblijven.
Nou, ik ga nog maar eens een lekker glaasje water drinken en dan proberen te slapen.

Doeideboei, Ezjeflezje, groetjes van
je volslanke, wenkbrauwloze, vastgelijmde, gladgeschoren vriendin

ROOZ!

Rooz is booz

Het is halfvijf en nog donker buiten, maar Rosa kan niet meer in slaap komen. Haar maag knort. Ze knipt haar nachtlampje aan. Ze heeft de weegschaal naast haar bed gezet, omdat ze benieuwd is hoeveel ze afgevallen is na een dag lijnen.
Ze houdt haar adem en haar buik in. Nog steeds zestig kilo. Geen gram eraf! Hoe kan dat nou? Ze is duizelig van de honger. Maar ze moet volhouden.
Ze gaat aan haar bureau zitten en pakt haar tekenblok.
Het probleem is dat alle veranderingen zo opvallen. Dat is aan de ene kant natuurlijk de bedoeling, maar aan de andere kant krijgt ze er vast en zeker gedonder over met haar moeder en meneer A.A.
Haar haar in een andere kleur verven is onmogelijk, make-up kan ze eventueel opdoen als ze op weg naar school is, en de kleren die ze graag wil hebben, krijgt ze nooit van haar moeder. Zo'n filmsterrenjurk is natuurlijk een beetje overdreven. Maar wel mooi. Voor als ze naar de première van de film gaat waarin zij de hoofdrol speelt.
Kleedgeld is de oplossing, maar ze ziet de bui al hangen: 'Wat! Dat truitje is ordinair, Rosa, ga het maar ruilen! Nee, die broek kan echt niet! Wat een flutkwaliteit!'
En die piercing... Dat is keistoer, maar haar moeder vermoordt haar als ze het ontdekt. Ze mag het dus niet ontdekken... Daar moet ze iets slims op bedenken. En waar zal ze het dan doen? In haar wenkbrauw? Valt erg op en die moet bovendien eerst weer aangegroeid zijn.

gen na, en nu zóveel dat ze er helemaal tureluurs van wordt. De stemmen in haar hoofd ratelen maar door: Zouden ze me wel leuk vinden? Praat ik niet raar? Ben ik te dik? Valt die pukkel erg op? Gaan ze me uitlachen? Enzovoort, enzovoort.
Rosa zet de computer uit en kruipt terug in bed. Ze pakt haar discman en zet de muziek flink hard.

Even later schiet ze met een gil wakker. Ze is nat van het zweet en het snoer van haar oortelefoons zit om haar keel gewonden. Ze droomde dat haar keel dichtgeknepen werd door een grote zwarte gedaante zonder gezicht, terwijl hij met de stem van Edith, uit haar klas, een heel raar liedje zong:
Slaap kindje slaap,
Rosa heeft benen als een aap...
En dikke vette billen,
een filmster, dat zou ze wel willen.
Slaap kindje slaap
Gauw zet ze de discman uit.
Rosa sluipt naar beneden. Het is halfzeven en het huis is nog steeds donker en stil. Jammer dat Appie niet wakker is, dan kon ze even met hem spelen.
Rosa aarzelt. Haar maag voelt akelig hol aan. Misschien is er iets in de koelkast waar ze niet dik van wordt. Ze sluipt nog een trap af.
Er staat niet veel lekkers in. Een oud stuk kaas, sla, een paar slappe wortels, babyvoeding. En een pak chocoladevla.
Zou je daar dik van worden? Maar ze moet wat eten. Dat holle, lege gevoel moet weg. Rosa pakt een kommetje en schenkt het vol. Mmmm... het is alsof ze nu pas proeft hoe lekker chocoladevla is. Superzalig zoet en zacht glijdt het door haar keel. Ze neemt nog een kom vol en lepelt dat gulzig naar binnen. Dan kan ze niet meer stoppen tot het pak leeg is. Ze laat een boer en rilt. Brrr... het is koud in haar buik en ze is een beetje misselijk. Een beetje érg misselijk zelfs.
'Stommerd,' mompelt ze bij zichzelf. 'Slappeling. Een hele dag lijnen voor niks.'
Ze loopt met een akelig opgeblazen gevoel in haar buik terug naar haar slaapkamer.
Nu moet ze weer helemaal opnieuw beginnen.

Rosa van Dijk

Van: Jonas de Leeuw <jdl@xs22.nl>
Aan: Rosa van Dijk <rosavandijk@fastmail.com>
Verzonden: maandag 17 mei 22.20
Onderwerp: Blei in mei

Ha die Rosa,

Waarom hoor ik zo weinig van je? Ben je soms een knappe Groningse suikerbiet tegengekomen?
Weet je, ik zou dat niet eens zo erg vinden, hoor. Onze Internet Verkering is toch anders dan gewone verkering. Toch? Ook omdat we zo ver uit elkaar wonen. We geven elkaar toch alleen maar digitale zoenen. We zijn meer een soort beste vrienden, vind ik. Weet je nog dat jij mij altijd Jonalientje, je beste vriendin, noemde?
Zou jij het erg vinden als ik op iemand anders verliefd werd?
Ik vind je heus heel leuk en lief, hoor. Ik heb zelfs een gedicht voor je geschreven.
Hier komt het:

De merel zingt
De wereld blinkt
Jij bent ver weg
Maar niet voor mij
Ben jij dichtbij
Want het is mei
En ik ben blij.

Zo kan het ook:

De merel zingt
Terwijl jij blinkt
Hier aan mijn zij
Ben jij dichtbij
En ik heel blij

Het probleem is dat het op zoveel manieren kan. Dat blinken is misschien een beetje vreemd. Hoe weet je nou wanneer iets goed is?
Ik moet gewoon nog even oefenen. Ik heb besloten dat ik later schrijver en dichter wil worden. Wie weet word ik wel heel beroemd.
Weet jij al wat je wilt worden?
Bij ons in de kast staan een heleboel boeken met gedichten. Als ik naar bed ga, neem ik er altijd een mee.
Ik heb een gedicht speciaal voor jou gevonden. Het is uit de negentiende eeuw en geschreven door meneer Speenvarken. Let op, hier komt het:

Vegetariërs zijn mensen
die de mensen anders wensen
Net als grote olifanten
daarom eten zij slechts planten
Zij zijn bang voor dooie koeien
want die kunnen niet meer loeien
Beesten doden om te eten
noemen ze van God vergeten
't Is zo deftig en zo fijn
vegetariër te zijn.

Goed, hè? Ik moest er hard om lachen en aan jou denken, omdat jij ook vegetariër bent. Toen bestond dat dus ook al. Ik dacht dat vegetariërs een uitvinding van de laatste tijd waren, omdat mensen van nature omnivoren zijn, dat betekent: alleseters. Goed, hè? Heb ik pas met bio gehad. (Ik ben vooral een snoepievoor.)
Het gedicht gaat nog een heel eind verder, over gestoofde bonen en met een heleboel moeilijke woorden. Volgens mij hield die man niet van vegetariërs.
Dat die meneer Speenvarken heette, is trouwens een grapje. Hij heette: J.H. Speenhoff (1869-1945).

Groetjes van
J.A. de Leeuw (1989-....)

P.S. Het geboorte- en sterfjaar van de schrijver staat er altijd bij. Ik reken altijd uit hoe oud ze zijn geworden. Deze werd 76, stokoud dus. Misschien was het maar goed dat hij doodging, anders had hij ook nog een hoop oorlogsgedichten moeten schrijven. Zo van: Pief, paf, poef, Hitler was een boef.

P.P.S. Bij mij zal er dus ook ooit een sterfjaar staan! Daar word ik opeens heel zenuwachtig van. Hoe oud zal ik worden? 50, 75, 107? Misschien maar 15! Heeelp!
Ik ga een gedicht schrijven over de dood. Dat krijg je de volgende keer, want het is al hartstikke laat en ik moet een proefwerk aardrijkskunde leren.

Doeiiii Roosje!
Groetjes van
je internetboon

Rosa lacht. Jonas is leuk. Ze is dol op hem. Maar wat bedoelt hij nou eigenlijk met dat stukje over hun Internet Verkering? Zou hij soms op iemand anders zijn? Maar de rest van de brief is hartstikke lief. Ze weet soms zelf ook niet precies wat ze voor hem voelt. Is het verliefdheid of gewoon vriendschap? Meer vriendschap misschien toch. En dat komt inderdaad waarschijnlijk omdat ze hem zo weinig ziet. De laatste keer was minstens zes of zeven maanden geleden.
Rosa pakt haar tekenblok en begint erin te krabbelen. Ze heeft er nog nooit over nagedacht wat ze later wil worden. Haar moeder zegt dat ze een goed stel hersens heeft en advocaat of notaris moet worden, omdat je daar veel geld mee verdient. Maar haar vader zegt altijd dat ze haar beroep moet maken van datgene wat ze het liefste doet. Dat als je iets doet waar je veel van houdt, je daar automatisch goed in wordt. En dat geld niet gelukkig maakt.
Waar houdt ze van? Van lezen. Maar daar kun je geen geld mee verdienen. En tekenen. Ze heeft schriften en tekenboeken vol. Tekenaar kan ze worden. Maar kun je daar geld mee verdienen? Meyer, de tekenleraar op school, loopt altijd rond in rafelige, met

verf besmeurde kleren. Hij heeft vast niet veel geld. Of misschien is dat juist artistiek?
Rosa zucht. Waarschijnlijk is ze toch niet goed genoeg.
Ze begint haar nieuwe naam weer te tekenen.
Rooz. Rooz is Booz. Met veel kleuren en wolkjes eromheen. Het lijkt wel een beetje op de graffititekeningen die ze overal in de stad ziet.
Rosa gaat rechtop zitten. Graffiti. Dat is pas een interessante hobby. Met spuitbussen op muren tekeningen maken. Dat is stoer en ruig en... Ze wordt er helemaal opgewonden van.
Als ze dát zou doen, zouden haar klasgenoten tegen haar opkijken. En haar bewonderen om haar moed, want het is verboden. Als de politie je betrapt, word je vast in de gevangenis gesmeten.
Rosa rilt. Ze ziet zichzelf al zitten, met gescheurde kleren, verfklodders op haar gezicht, in een hoekje van een cel. Mager en heel interessant. Gelukkig had ze nog een spuitbus onder haar trui verborgen en daar gaat ze nu de cel mee opvrolijken. Roos gniffelt en begint te tekenen.

Jonas de Leeuw

Van:	Rosa van Dijk <rosavandijk@fastmail.com>
Aan:	Jonas de Leeuw <jdl@xs22.nl>
Verzonden:	maandag 17 mei 23.40
Onderwerp:	Dichters en betonblokken

Lieve Joni-macaroni,

Bedankt voor je gedichten en je meel, ik werd er vrolijk van. Je wordt vast een heel goeie dichter. Ik denk ook wel eens over doodgaan, maar alleen als ik me heel rot en zielig voel en als mijn moeder en Alexander kwaad op me zijn. (Dat gebeurt helaas nogal vaak.)
Dan fantaseer ik dat ik bij mijn eigen begrafenis ben, dat ik boven de kist hang als een soort wolk en dat ik dan zie hoe vreselijk verdrietig de mensen zijn en hoeveel spijt iedereen heeft dat ze zo stom tegen mij gedaan hebben. En dat iedereen zegt hoe mooi en slim en geweldig en bijzonder ik was. Maf, hè?
Aan jou kan ik zoiets wel vertellen. Hoop ik. Eerst durfde ik je niet goed meer te schrijven wat ik allemaal voel en denk. Ik dacht dat je me uit zou lachen of me stom zou vinden. Maar nu je verteld hebt dat je dichter wilt worden, denk ik dat je me misschien wel begrijpt.
Dichters zijn gevoelige mensen, niet zulke betonblokken als de mensen die hier in huis rondlopen. Daar hoort Abeltje natuurlijk niet bij, hoor! Hij is zo schattig, joh! Hij kan al staan als hij zich aan iets vasthoudt. Dat 'iets' ben ik dus meestal, maar dan moet ik niet bewegen, anders kiepert hij om. Ik lach me altijd suf om hem. Ik ga hem looples geven.
Is je gedicht over De Dood al af? Ik wil het graag lezen!

Groetjes van
Rooz!
(zo heet ik tegenwoordig)

P.S. Ik zou het (denk ik) niet erg vinden als je op iemand

Rosa steekt het spoor over. Op het rangeerterrein verderop staan treinen die helemaal onder de graffiti zitten. Op een lange muur staat in prachtige letters op een donkerblauwe achtergrond met sterren: THE MAGIC IS IN THE DOING. Het lijken wel geheimzinnige boodschappen, speciaal voor haar. En daar verderop...

'Sorry, juffie, maar je komt er niet meer in. Dit is al de derde keer dat je te laat bent deze week. Ga je maar melden bij meneer Hoppert.'
'Maar... maar ik kan er niks aan doen!' roept Rosa. 'Ik ben onderweg verdwaald omdat ik naar buitenluchtkunst aan het kijken was en... en toen stond ik met de fiets in de file en ik...'
De conciërge grijnst. 'Nee, ik ben niet te vermurwen. Maar je smoes is origineel, dame.'
Rosa vloekt binnensmonds. Stik, dat betekent morgen een uur eerder op school zijn en afval prikken in de bosjes. Eén keer te laat is een kwartier, twee keer in een week kost een halfuur, drie keer een uur plus prikdienst. Ze sjokt de trap op. Als ze boven aankomt, is ze duizelig. Ze heeft, behalve het pak chocoladevla vanochtend vroeg, nog niks gegeten. Het vervelende van lijnen is dat ze steeds aan eten moet denken. Ze grinnikt. Ze gaat gewoon op alle muren in de stad tekeningen van enorme slagroomsoezen en repen chocola spuiten. Dat is pas origineel. Maar daarvoor heeft ze wel andere kleuren verf nodig. Hoe komt ze daar eigenlijk aan? Zouden die echte graffitispuiters het allemaal met autolak doen, of met een ander soort verf? Eerst deze bussen maar eens uitproberen. Ze voelt aan haar rugzak. Zal ze iets op de deur van de conrector spuiten? 'Rooz is Booz!' bijvoorbeeld.
Nee, ze weet iets beters. 'Meneer Hoppert heeft een grote floppert.' Of een kleine, dat is misschien nog beter...
Rosa staat voor de deur te giechelen, als die plotseling opengetrokken wordt.
'Zo zo, kijk eens wie we hier hebben, mejuffrouw Van Dijk. Durfde je niet binnen te komen? Wel, daar heb je alle reden toe...'

Esther Jacobs

Van:	Rosa van Dijk <rosavandijk@fastmail.com>
Aan:	Esther Jacobs <esther@xs42.nl>
Verzonden:	woensdag 19 mei 21.03
Onderwerp:	Kunst

Hoi Ezzie,

Mijn leven is één lang strafkamp en ik vrees dat het nog erger zal worden.
Morgen moet ik een uur eerder op school zijn en rommel prikken omdat ik voor de derde keer te laat was. Dat kwam doordat ik onderweg naar graffiti aan het kijken was. Als je goed kijkt, zie je er allemaal verborgen boodschappen tussen staan! Heel interessant. Vanmorgen zag ik:
THE MAGIC IS IN THE DOING
NO FEAR
BE BRAVE
En: NO MORE LIES!

Die slaan allemaal op mij. Ik wil niet meer bang zijn, maar dapper, en dat van die leugens was een waarschuwing. Ik had tegen mijn moeder gezegd dat ik best goeie punten haalde op school, maar ze heeft vanmorgen mijn tussenrapport gevonden omdat ze zo nodig mijn kast moest opruimen. Ze schrok zich dood en werd natuurlijk woedend. Voor de verandering waren zij en Alexander het volledig met elkaar eens. Ik kreeg nog net niet de doodstraf, maar wel een preek van hier tot Tokyo. Dat het zo toch echt niet meer kon en wat er met me aan de hand was en dat ik ondankbaar was en brutaal en onhandelbaar en blablabla...
Morgen gaat mijn moeder naar Hoppert de Floppert, de conrector met wie ik laatst ook al een zeer onaangenaam gesprek had.
Ik denk dat ze me naar kostschool sturen. Of naar de jeugdgevangenis. Of helemaal naar Siberië. Of ze voeren me aan de krokodillen in de dierentuin.

Nee, even serieus, wat kun je eigenlijk echt met 'lastige' kinderen doen?
Juist, helemaal niks! Ja, kamerarrest, maar wat als ik me er gewoon niet aan houd? Slaan is volgens mij tegenwoordig verboden en ik ben minderjarig, dus ik kan niet de gevangenis in. Ik kom in opstand.
Ik ga van nu af aan gewoon doen wat ik zelf wil. NO FEAR! BE BRAVE!
Ik ga een vrijheidsstrijd voeren. Niet Free Willy, maar FREE ME! Ik heb geen zin meer om te doen wat die stomme volwassenen me voorschrijven. Meer straf dan ik nu al heb kan ik toch nauwelijks krijgen.
Als daad van verzet ga ik beginnen met een piercing. Ik zal ze eens laten zien dat ik de baas over mezelf ben. Ik mag met mijn eigen lichaam doen wat ik wil.
Ik ben trouwens al een hele halve kilo afgevallen, goed, hè? Ik ben maar gestopt met hard de trappen op- en afrennen, want daar werd iedereen stapelgek van. Ik heb me nu voorgenomen elke ochtend voor het ontbijt een uur te gaan hardlopen. Dus ik doe heus niet alleen maar ongezond, hoor.
Verder heb ik besloten dat mijn nieuwe hobby graffiti spuiten wordt. (Dit is trouwens wel TOP SECRET, hoor, aan niemand vertellen.)
Ik heb op zeven stoeptegels ROOZ gespoten om te oefenen. Dat ging goed, het was redelijk leesbaar. Daarna ben ik naar het warenhuis in de stad gegaan en ik heb op de binnenkant van de wc-deur daar ROOZ IS BOOZ gespoten. Alleen was de verf op en toen stond er ROOZ IS BO. Dat is een beetje dom. Binnenkort ga ik misschien terug om het af te maken, wel vermomd natuurlijk.
Het was eigenlijk niet zo'n goed idee om in een plee te gaan spuiten, want die verf stinkt hartstikke en je hoort in zo'n kleine ruimte ook heel duidelijk: PSSSSSSSS! En dat is duidelijk een ander soort psssss dan van plassen. Er stonden allemaal dames te wachten en ik hoorde ze fluisteren: 'Wat gebeurt daar toch allemaal? Zou er een junk zitten?' (Alsof die PSSSSSS doet! Met zijn spuit zeker!) 'We moeten iemand van het personeel roepen!'

Ik kreeg het natuurlijk hartstikke benauwd, want om eerlijk te zijn vond ik het ook best eng om zomaar op een deur van iemand anders te spuiten. Ik voelde me een vandaal of hoe dat heet.
Maar Graffiti is Kunst. En ik ben een Kunstenares.
Een Kunstenares in het Geheim. Rooz, Secret Artist. Klinkt goed. En het is belangrijk, want je kunt Boodschappen achterlaten waardoor mensen gaan nadenken. En natuurlijk gewoon de wereld versieren.
Toen ik naar buiten kwam, had ik de bus verf in mijn schooltas verstopt en ik zei heel vriendelijk en onschuldig tegen die keurige mevrouwtjes: 'Wat u hoorde, was mijn deodorant, zou dat misschien ook een idee voor u zijn?' En toen haalde ik veelbetekenend mijn neus op.
BE BRAVE! Daarna ben ik niet zo dapper weggerend, want er kwam een wc-juffrouw met een dreigend gezicht aan, compleet met roze plastic handschoenen en zwaaiend met een pleeborstel.
Misschien is het geen goed idee om de O en de Z erbij te gaan zetten. Ik kan me daar beter niet meer vertonen. Ik kocht daar toch al nooit wat, want ik krijg nauwelijks zakgeld. En tegenwoordig krijg ik het helemaal niet, als straf voor al mijn wandaden. Als ik braaf ben, krijg ik twee euro per week, maar wat kun je daar nou voor kopen? Een zak friet.
Mmmm... friet. Ik begin te kwijlen als ik daaraan denk.
Hoe gaat het met jou?
Mijn leven begint al wat spannender te worden, dat merk je wel. In actie komen voelt in ieder geval beter dan alleen op mijn kamer zitten kniezen.

Groetjes van Roozzzzz!

Rosa begint aan haar huiswerk. Ze gaapt. Bah, geschiedenis. Waarom moet dat nou zo saai zijn? Waarom bedenken ze geen leukere manieren om kinderen dingen te leren? In plaats van een saaie droge tekst voor elk hoofdstuk een cd-rom bijvoorbeeld, die ze kan afspelen op haar computer, met een grappige film over het onderwerp. Of nog beter... een tijdreismachine.

'Vandaag gaan we op bezoek bij de Egyptenaren. Nee, jongens, niet dringen! Ik verzend jullie keurig een voor een, zorg ervoor dat je mij niet kwijtraakt en denk erom: niet stiekem juwelen meenemen!'
Rosa grinnikt bij de gedachte. Dat zou pas leuk zijn. Ze heeft honger. Vanavond heeft ze nauwelijks iets gegeten. Het was weer een culinair hoogstandje. Gierst met kaassaus met klonten en pompoen. Jak. Gelukkig was Alexander er niet om te zeuren en haar moeder had het zo druk met Appie, dat ze het niet in de gaten had. En geen toetje. En geen koekjes. Haar maag knort. Maar ze moet sterk zijn.
Pling! doet haar computer. Mail! Esther zit dus ook achter haar computer.

Rosa van Dijk

Van: Esther Jacobs <esther@xs42.nl>
Aan: Rosa van Dijk <rosavandijk@fastmail.com>
Verzonden: woensdag 19 mei 21.42
Onderwerp: BE BRAVE, BE YOURSELF!

Hoi Rooske,

Ik moest wel om je brief lachen, maar ik moet je toch iets serieus zeggen, Roos. Ik hoop dat je er niet boos om wordt. Ik weet niet of ik die nieuwe Rooz nou wel zo leuk vind, hoor. Eigenlijk, als ik heel eerlijk ben, heb ik het idee dat je nogal stom bezig bent.
Op wc-deuren spuiten is echt vandalisme. En lijnen als je in de groei bent, is ontzettend ongezond. Waarom blijf je niet gewoon jezelf? Je hoeft helemaal niet te veranderen. Dat heb ik al eerder gezegd.
Volgens mij ben je pas dapper als je gewoon jezelf durft te zijn en je niks aantrekt van anderen.
Luister naar oma Es en hou op met die onzin.

De woelewappies van je vriendinneke uit Den Bosch,
Esther

Rosa zet haar computer uit.
Pfff... wat een zeurpiet is die Esther. Echt een oma. Ze kan beter niet meer aan haar schrijven wat ze voelt en wat ze doet. Preken krijgt ze al genoeg thuis. Esther begrijpt haar gewoon niet. Niemand begrijpt haar. Ze is helemaal alleen.
Rosa kruipt in bed en trekt haar dekbed over haar hoofd.

Neuz

Het is schemerdonker en Rosa fietst op een smal zandpaadje langs het spoor. Ze heeft een veel te grote, zwarte trui van Alexander aan en een pet op. Ze is al een halfuur onderweg en een heel eind van huis. Rechts ligt een nieuwbouwwijk, van het pad gescheiden door een rij hoge struiken. Merels zingen in de bomen en het kriebelt in haar buik van opwinding.

In haar rugzak zitten twee spuitbussen. Een met lichtblauwe verf en een felgroene. Haar lievelingskleuren. Gekocht van geld dat ze uit Alexanders portemonnee gepikt heeft. Eigen schuld dikke bult, want de eerstkomende tachtig jaar krijgt ze geen zakgeld.

Ze heeft haar oortelefoons in, met de muziek keihard aan, en ze is op zoek naar een geschikte plek om te spuiten. Ze heeft een mooi ontwerp gemaakt voor ROOZ IS BOOZ!

Langs het spoor staan elektriciteitskastjes, die zijn heel geschikt. Je kunt ze vanuit de trein zien en ze zijn mooi glad. Maar helaas zijn ze ook allemaal al volgespoten.

Rosa stapt naast een kastje af. Ze is moe en heeft geen zin om nog verder te fietsen.

Ze bekijkt de tekening die erop staat. Die is mooi van vorm en van kleur. NEUZ! ontcijfert ze met veel moeite.

Ze twijfelt. Wat zal ze doen? Teruggaan naar huis? Daarvoor heeft ze niet zo ver gefietst.

Ze kijkt om zich heen. Het elektriciteitskastje staat uit het

zicht, omdat het achter een rij bosjes ligt. De straat verderop is verlaten. Ze kan natuurlijk proberen om gewoon over de tekening heen te spuiten...
Rosa zet haar rugzak neer, legt haar fiets in de bosjes en schudt met de groene spuitbus. Ze weet precies hoe ze het gaat doen, want ze heeft de tekening al een miljoen keer thuis op papier geoefend. Eerst de buitenlijnen van een grote sierlijke R...
Ze was bang dat het moeilijk zou zijn in het donker te spuiten, maar gelukkig staat er een lantaarnpaal in de buurt. Wel link natuurlijk, want dat betekent dat zij ook te zien is. Hopen dat er niemand langskomt... Maar al gauw vergeet Rosa haar voorzichtigheid en gaat ze helemaal op in haar werk en in de muziek uit haar oortelefoons.
Over NEUZ heen spuiten is een makkie. Haar naam wordt veel mooier. Morgen kunnen alle mensen...
Rosa schrikt zich dood als er opeens zonder waarschuwing een trein langsraast. Ze valt tegen het elektriciteitskastje van schrik. Na een paar seconden is de trein weg en krabbelt ze overeind, met trillende benen en een bonzend hart. Misschien is het toch verstandiger om de muziek uit te doen. Rosa haalt een paar keer diep adem om de bibbers kwijt te raken. Als ze net een paar stappen naar achteren zou hebben gedaan om haar werk te bekijken, had ze onder de trein gelegen.
Opeens wordt ze ruw bij haar arm gegrepen. Ze geeft een harde gil van schrik.
Ze draait zich om en probeert haar arm los te rukken, maar de greep is muurvast.
Er staat een jongen tegenover haar. Hij heeft een donkerblauwe muts diep over zijn ogen getrokken en is ongeveer even groot als zijzelf is. Zijn donkere ogen schitteren kwaad. Het meest opvallende aan zijn gezicht is zijn nogal flink uitgevallen neus.
De jongen wijst naar het elektriciteitskastje. Er staat nu REUZ.
'Wat denk je wel dat je aan het doen bent, man!' sist hij kwaad.
'Laat me los! Je doet me pijn!'
Verbaasd laat hij haar los. 'Je bent een meisje!'
'Ja, nou én? Mogen die soms geen graffiti spuiten?'
De jongen doet een stap naar achteren en haalt een pakje siga-

retten te voorschijn. Hij steekt er een op en bekijkt haar schattend. 'Nou, je komt ze niet vaak tegen. Maar ik snap het al. Een hobbyist. Een beginnelingetje. Dat is je geluk, dame. Niemand spuit ongestraft over Neuz heen. Eerste keer zeker?'
'Hoezo, geluk? Wat zwam je nou? Ik doe dit aan één stuk door,' antwoordt Rosa met schorre stem. Ze zakt bijna door haar knieën van de zenuwen. Ze moet hier weg, en snel. Wie weet wat die jongen met haar van plan is. Hij is dan niet veel groter dan zij, maar aan zijn stevige schouders en armen te zien wel een stuk sterker. Er rijdt een auto voorbij. Gauw stopt ze de spuitbussen in haar rugzak en ze loopt naar haar fiets toe.
'Hoho, zo makkelijk gaat dat niet!'
'Jawel, hoor,' zegt Rosa. 'Jij hebt niks over mij te vertellen. Ik ben weg. Mazzel!' Ze is verbaasd dat ze de woorden er zo stoer uit krijgt.
'O nee!' De jongen komt haar achterna en pakt haar bij de schouder. 'Weet jij wel van wie dat kunstwerk is dat jij bekladderd hebt?'
'Welk kunstwerk? Ik zie geen kunstwerk, alleen het mijne.'
'Mis! Je hebt het mijne verpest! En weet je wel hoe gevaarlijk het hier is? Er zwerft in deze buurt een groep jongens rond, die meisjes zoals jij wel rauw lusten. En als de spoorwegpolitie je te pakken krijgt, ben je nog niet jarig!'
'Pfff, ik ben heus niet bang, hoor. En al helemaal niet voor jou!'
Rosa rukt haar arm los en trekt haar fiets uit de struiken.
'Ik zou in het vervolg 's avonds maar niet meer in deze buurt komen. Veel te link. En spuiten is niks voor meiden!'
Rosa zwaait haar rugzak om en springt op haar fiets.
De jongen doet geen moeite meer om haar tegen te houden.
Haar hart klopt in haar keel.
Ze is wel bang, maar ze mag het niet laten merken.
'Als ik je nog een keer betrap, dan...' zegt de jongen dreigend en hij steekt zijn vuist omhoog.
Rosa trapt zo hard als ze kan. Als ze een veilig eind weg is, roept ze over haar schouder: 'Doei dikke neus! Ik ben toch niet bang voor jou!'

Rosa van Dijk

Van:	Rosa van Dijk <rosavandijk@fastmail.com>
Aan:	Rosa van Dijk <rosavandijk@fastmail.com>
Verzonden:	donderdag 20 mei 19.02
Onderwerp:	Me-mail

Beste Rooz,

Ik vind dat je heel stoer was tijdens het gesprek met Hoppert de Ploppert en je moeder. Het was verstandig om gewoon je mond dicht te houden. Het was niet zo verstandig te weigeren je oortelefoons uit te doen. Ze werden er erg kwaad om. Ik kreeg het knap benauwd.
Ik weet ook niet of het nou zo slim is om nog een keer geld te pikken voor spuitverf. Stel je voor dat Apenbil het merkt.
En denk je niet dat zo'n piercing hartstikke pijn doet?
Het oerwoud op je benen begint weer aan te groeien. Het lijkt nu net een stoppelveld! Scheer a.u.b. om de korstjes heen, anders wordt het weer een bloedbad.
Doe je nog iets aan je proefwerk van morgen?

Groetjes van Rosa

P.S. Ik heb er nog over nagedacht, vind je niet dat Esther een beetje gelijk heeft met wat ze schreef?

Rosa van Dijk

Van:	Rosa van Dijk <rosavandijk@fastmail.com>
Aan:	Rosa van Dijk <rosavandijk@fastmail.com>
Verzonden:	donderdag 20 mei 19.24
Onderwerp:	Me-mail

Ha die Rosa,

Je bent wel een watje, hoor. BE BRAVE! Weet je nog wel?
Esther snapt er niks van. Zij is een heilig boontje.
Laat die grote mensen maar kwaad worden. Net goed.
Moeten ze maar niet zo bazig en onverschillig doen de hele tijd.
Alexander is zo gemeen en onredelijk dat hij voor straf best wat geld kan missen. Hij is hartstikke rijk en ik krijg nooit iets.
Dat proefwerk leren kan morgenochtend ook nog wel.
Hou je taai en laat je niet op je kop zitten.
FREE ME!

Rooz

P.S. Weet je wat? Kijk eens op internet of er iets over piercings staat.

Rosa van Dijk

Van: Rosa van Dijk <rosavandijk@fastmail.com>
Aan: Rosa van Dijk <rosavandijk@fastmail.com>
Verzonden: donderdag 20 mei 20.30
Onderwerp: Me-mail

Ha Rooz,

Je gelooft nooit wat ik allemaal op internet gevonden heb. Weet je wel waar mensen allemaal piercings laten zetten!!! Ieeeeek!
Sommige mensen zijn echt wandelende ijzerwinkels. Ik snap niet hoe ze op het vliegveld door de douane heen komen.
- Sorry, meneer, u mag er niet in, het alarm gaat af. Heeft u wapens bij u?
- Nee meneer, maar ik heb een piercing door mijn piemel. Dat is een flink stuk ijzer. Misschien gaat daardoor het alarm af.
- Haal hem dan maar even uit uw broek, want ik moet dat controleren.

Woeaaah! Zie je het al voor je?
Ik weet niet of ik een piercing neem, hoor. Ik vind het eng. Het wordt vast een bloedbad.

Rosa

P.S. En mijn wenkbrauwen zijn nog niet helemaal aangegroeid.

Rosa van Dijk

Van: Rosa van Dijk <rosavandijk@fastmail.com>
Aan: Rosa van Dijk <rosavandijk@fastmail.com>
Verzonden: donderdag 20 mei 20.42
Onderwerp: Me-mail

Ha watje,

Doe niet zo flauw. Van een ringetje door een wenkbrauw is nog niemand doodgegaan en je mag er vast mee door de douane. Je moet iets overhebben voor je nieuwe imago.

Rooz

P.S. Je wenkbrauwen zijn al bijna weer gewoon, hoor. En de lijm is er ook al lang uit. Smoesjes!

Een pie-piercing

Rosa is al drie keer langs de tattoo- en piercingshop gelopen. Ze heeft bibberknieën en buikpijn van de zenuwen. De winkel ziet er angstaanjagend uit, met foto's van piercings op de vreemdste plekken. Sommige nog enger dan die ze op internet gezien heeft.
Ze heeft ook geen flauw idee wat het zal kosten. In haar zak heeft ze een briefje van twintig euro zitten. Ook al van Alexander gepikt. Ze voelt zich even heel erg schuldig. Twintig euro is hartstikke veel. Dan duwt ze het gevoel resoluut weg. Moet hij maar niet haar zakgeld inhouden.
Rosa staat weer bij haar fiets en morrelt aan het slot. Ze kan beter maar weer naar huis gaan. Ze vindt het doodeng.
Kom op Rosa, klinkt de stem van Rooz in haar hoofd. Dit wordt je eerste daad in je vrijheidsstrijd. Je bent toch geen watje? Je wilt toch veranderen? The magic is in the doing. Niet denken, maar doen!
Ze haalt diep adem en stapt naar binnen.
Achter de toonbank staat een lange, dunne jongen. Hij is druk in gesprek met een hoogblond, slank meisje van een jaar of twintig. Samen kijken ze naar foto's in een map. De jongen heeft net boven zijn kin een ijzeren pin zitten, en door zijn onderlip zit een ring met een blauw steentje. Er steekt ook een ijzeren pin uit tussen zijn wenkbrauwen. Hij heeft een leren halsband om en zijn magere armen zitten vol tattoo's. Rosa bekijkt hem met open mond. Die jongen is een wandelend reclamebord voor zijn winkel. Wat zou er nog ónder zijn kleren zitten?
Dan bestudeert ze het meisje. Ze heeft een kort, zwart truitje aan en boven haar navel glinstert een diamantje. Mooi! In haar neusvleugel glinstert ook iets en Rosa ziet op haar schouderblad een kleine tattoo. Ze doet een stap dichterbij om die beter te kun-

nen zien. Het is een roos. Wauw! Dat is gaaf. Dat zou iets voor haar zijn. En misschien is het wel een goed teken.
'Kan ik je helpen?' vraagt de jongen. Hij drukt zijn sjekkie uit in een overvolle asbak en grijnst. Er zit een diamant in een van zijn voortanden.
Rosa verzamelt al haar moed en stamelt: 'I-ik wil een pie-piercing.'
De jongen kijkt haar met een schuin hoofd grijnzend aan.
'Een pie-piercing? Hoe oud ben jij?'
'Uh... veer... vijftien,' liegt Rosa. Ze voelt dat haar gezicht rood wordt.
'Ik denk eerder dat je twaalf bent. Dan moet een van je ouders erbij zijn om toestemming te geven. Sorry, je bent nog veel te jong. '
'Ik ben helemaal geen twaalf! En ik héb toestemming, hoor!'
De jongen schudt zijn hoofd en draait een nieuw sjekkie. Als hij aan het vloeitje likt, ziet Rosa dat er ook een piercing in zijn tong zit.
'Het mag écht. Ik wil alleen maar een piercing in mijn wenkbrauw.'
'Nee, het spijt me, ik wil geen gelazer. Kom maar terug met je pa of ma.'
'Ach toe Joop, doe niet zo streng, joh,' zegt het meisje en ze knikt vriendelijk naar Rosa. 'Ze is ouder dan twaalf, dat zie je toch.'
Hoopvol gaat Rosa wat rechterop staan en ze kijkt de jongen smekend aan.
Nu is ze zover gekomen en gaat het nog niet lukken!
Maar weer schudt de jongen zijn hoofd.
Rosa laat haar schouders zakken en loopt naar de deur.
'Wacht even,' zegt het meisje. Ze trekt Rosa aan haar arm naar de etalage met sieraden. 'Ik weet wat. Is dit niks voor je?'

'Rosa! Wat heb je nou in hemelsnaam gedaan?'
'Wat bedoel je?' vraagt Rosa onschuldig.
Haar moeder wijst met wijd opengesperde ogen van afgrijzen naar haar wenkbrauw en roept: 'Dat ordinaire ding daar in je wenkbrauw!'

Rosa voelt nonchalant aan het ringetje. 'O dat... Gaaf, hè?'
Er komt stoom uit haar moeders oren en haar ogen schieten vuur. Ze rammelt Rosa door elkaar. 'Een piercing! Hoe durf je! Ik heb je nog zo gezegd dat ik dat niet wil hebben!'
Alexander komt de keuken binnen, worstelend met een scheve stropdas. 'Wat er nu weer aan de hand, heb je weer...' Hij stopt midden in zijn zin.
Rosa steekt haar kin in de lucht en zet haar handen in haar zij.
'Wat krijgen we nou? Een piercing!' buldert Alexander.
'Ik twijfelde nog tussen een botje door mijn neus en een koeienbel, maar ik vond dit toch mooier,' zegt Rosa met een onschuldig stemmetje. 'Vind je het leuk?'
'Leuk? Leuk? Waar heb je het over? Wat bezielt jou toch, Rosa! We hebben je heel duidelijk gezegd dat je dit niet mag! Haal dat ding er onmiddellijk uit!'
'Mooi niet, ik ben veertien en mag met mijn lichaam doen wat ik zelf wil.'
'Rosa, doe wat Alexander zegt en haal dat afschuwelijke ding er nu uit!' gilt haar moeder met overslaande stem.
'En wat gebeurt er als ik het niet doe?' zegt Rosa en ze kijkt woedend omhoog naar Alexander. 'Ga je me dan weer slaan, kinderbeul?'
Alexander trekt wit weg. Haar moeder gaat tussen hen in staan.
'Rosa, hou je mond, doe dat ding uit en ga naar je kamer.'
'Hallo, het is acht uur, ik moet naar school, hoor, stom mens!'
Rosa pakt haar rugzak en loopt naar de deur.
Alexander stormt naar haar toe en pakt haar hard vast. 'Ik wil niet dat je zo'n toon tegen je moeder aanslaat! Haal die piercing eruit of anders...'
Rosa rukt zich los en gooit haar rugzak op de grond. 'Oké! Moet hij eruit? En nu onmiddellijk? Let dan maar eens op!' Ze pakt het ringetje en geeft er een harde ruk aan.

Rosa van Dijk

Van:	Rosa van Dijk <rosavandijk@fastmail.com>
Aan:	Rosa van Dijk <rosavandijk@fastmail.com>
Verzonden:	maandag 24 mei 22.33
Onderwerp:	Me-mail

Hoi Rosa,

Dat was een goeie grap, met dat nepringetje. Mama viel bijna flauw van schrik. Apenbil zag groen om zijn neus.
Morgen moet je het in je neus doen. En overmorgen in je onderlip. Kun je meteen zien hoe het staat.
Leve de vrijheidsstrijd. Een beetje straf moet je ervoor overhebben. Daar gaan we toch wat aan doen.
FREE ME! NO FEAR!
Verder heb je je weer zitten volproppen daarnet. Je kon je weer niet beheersen. Eerst de hele dag niks eten en dan stiekem vijf witte boterhammen achter elkaar, met dik boter en hagelslag! Dat is toch niet normaal. Slappeling! Dikzak! Miss Piggy! Dat moet nu echt afgelopen zijn. In plaats van superslank word je moddervet van dat zogenaamde lijnen.
Verder hebben we geld nodig voor nieuwe verf. Zullen we nog wat Neuzen gaan overspuiten?
Ik heb er twee gezien in de buurt van het spoor.

Groeten van Roozzz

Rosa van Dijk

Van: Rosa van Dijk <rosavandijk@fastmail.com>
Aan: Rosa van Dijk <rosavandijk@fastmail.com>
Verzonden: maandag 24 mei 22.55
Onderwerp: Me-mail

Hoi Rooz,

Nou, die grap heeft me wel weer een extra maand huisarrest en drie weken zonder zakgeld opgeleverd. Alles bij elkaar opgeteld heb ik, geloof ik, huisarrest tot mijn vijfenzestigste en krijg ik pas weer zakgeld als ik drieëntachtig ben of zo. Ik kan het niet meer bijhouden.
Eigenlijk voel ik me hartstikke rot. Ik doe brutaal en gemeen en dat wil ik eigenlijk helemaal niet. Mama viel echt bijna flauw toen ze dacht dat ik mijn wenkbrauw kapottrok.
Ik wil gewoon dat ze naar me luisteren en dat ze me respecteren. En dat ik mag doen wat ik wil.
Mama weet volgens mij helemaal niet meer wat ze met me aan moet en dat vind ik best zielig.
Als ik moeder was, zou ik heel anders omgaan met mijn dochter. In een tijdschrift las ik pas een stukje over kinderen opvoeden en daarin stond wel een handig lijstje.

Survivaltips voor ouders van pubers
1. Luister rustig naar wat je kind te zeggen heeft, onderbreek hem/haar niet. Vraag naar het waarom en niet naar het wát.
2. Vraag hoe hij/zij zich voelt.
3. Word niet meteen boos en begin niet direct te schelden.
4. Behandel hem/haar niet als een klein kind, maar als een gelijke.
5. Straffen helpt niet, praten wel.
6. Geef hem/haar genoeg vrijheid. Laat blijken dat je hem/haar vertrouwt.
7. Geef zoveel zakgeld als hij/zij nodig heeft.
8. En een heleboel kleedgeld.
9. En massa's aandacht en liefde.
(Die laatste drie heb ik er zelf bij verzonnen, hoor!)

Ik hoop natuurlijk dat zij het ook gelezen heeft. Maar ik durf dat artikel niet zomaar onder haar neus te duwen. Ik ben bang dat ze het niet begrijpt en weer boos wordt.
Ik wil eigenlijk ook geen geld meer pikken. Ik wil geen dief zijn. En ik wil ook geen ruzie met die Neuz hebben. Hij deed wel heel lelijk, maar hij had een aardig gezicht.
Ik wil wél graffiti spuiten, want dat vind ik hartstikke leuk.
Ik ben inderdaad een halve kilo aangekomen, in plaats van afgevallen. Help, van lijnen word ik dik! Ik kon er echt niks aan doen. Als ik zo weinig eet, word ik bibberig en duizelig en kan ik aan niets anders meer denken dan aan lekkere dingen. Zoals witte boterhammen met drie lagen boter en hagelslag. Wat een ramp. Hoe moet dat nou? Nu voel ik me inderdaad weer moddervet en blubberig. Ik haat mezelf.
En jij moet ophouden met dat stoere gedoe, Rooz. Ik vind er niks aan. Ik wil wel anders worden, maar niet iemand die ik niet leuk vind.

Wanhopige Rosa

Rosa van Dijk

Van:	Rosa van Dijk <rosavandijk@fastmail.com>
Aan:	Rosa van Dijk <rosavandijk@fastmail.com>
Verzonden:	maandag 24 mei 23.14
Onderwerp:	Me-mail

Je bent een VET, SLAP WATJE!

Rooz (is Booz!)

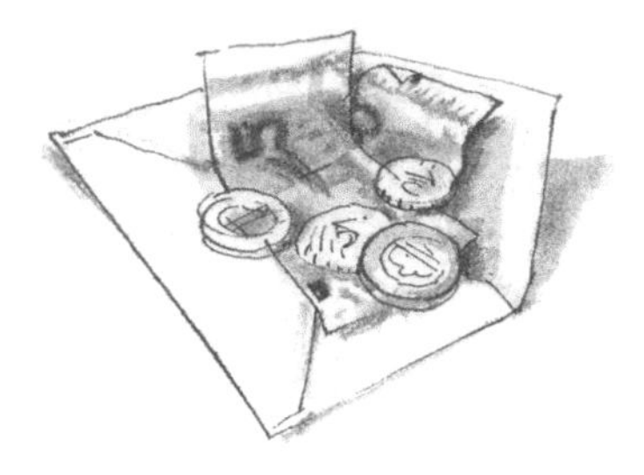

Nog meer mot

'Rosa, hou nou eens op met die gekkigheid! Je gaat zo toch zeker niet naar school?'
'Waarom niet?'
'Omdat je eruitziet als een dolle koe.'
'Nou, dank je wel. En wiens dochter ben ik?'
Haar moeder kijkt haar wanhopig aan. 'Roos, wat moet ik met je? Waarom doe je toch zo?'
Ze zitten samen in de grote eetkeuken en haar moeder heeft Abeltje op schoot. Over haar schouder ligt een theedoek en ze houdt de baby een eindje van zich af, omdat ze een net mantelpakje voor haar werk aanheeft. Ze ziet er mooi maar moe uit, vindt Rosa, maar ze zegt het niet.
'Je moet me gewoon niet zoveel verbieden. Ik mag helemaal niks.'
'Maar je wilt ook zulke rare dingen.'
'Dat vind jij. Maar ik ben jou niet. Ik wil kleedgeld. Ik wil zelf bepalen wat ik draag en hoe ik eruitzie.'
Haar moeder geeft een gil. Abel veegt zijn mond, die oranje is van zijn fruithapje, af aan haar witte bloes. Ze springt overeind en geeft Abeltje aan Rosa. Geïrriteerd loopt ze naar de kraan om de vlek schoon te maken. 'Geen sprake van. Je krijgt pas kleedgeld als je zestien bent en niet eerder. Je zou er toch maar snoep van kopen. Of rommel.'
'Je doet alsof ik een klein kind ben! Ik ben veertien. Iedereen in mijn klas krijgt kleedgeld.' Rosa voelt de wanhoop en de woede weer opwellen. Probeert ze een keer rustig en vriendelijk te blijven en dan lukt het nog niet.

'Jij bent zo onpraktisch, Roos. Je komt vast thuis met dingen die niet passen en dingen van slechte kwaliteit en…'
'Je hebt gewoon totaal geen vertrouwen in me!' schreeuwt Rosa met tranen in haar ogen. 'Je behandelt me als een klein kind! En je vraagt nooit waaróm ik iets wil! Het interesseert je allemaal geen bal!'
Toch handig, zo'n lijstje.
Abeltjes onderlip begint te trillen.
Rosa ziet het en drukt hem tegen zich aan. 'Sorry, Appelflappie. Ik ben niet boos op jou, hoor.'
Haar moeder loopt gehaast de keuken uit en roept: 'Waar is die map met aantekeningen nou? Ik ben al hartstikke laat.'
Rosa haalt diep adem. Rooz, hou je in, denkt ze. Beheers je. Niet weer gaan schreeuwen. 'Is ons gesprek nu dan afgelopen?' vraagt ze zo rustig als ze kan.
'Welk gesprek?'
'Over het kleedgeld! Zie je wel, je lúístert niet eens naar me. Dit is hartstikke belangrijk, hoor!'
'Het is belangrijker dat ik op tijd op die vergadering ben. Sorry Roos. Ik moet rennen!' En weg is haar moeder.

Rosa van Dijk

Van:	Jonas de Leeuw <jdl@xs22.nl>
Aan:	Rosa van Dijk <rosavandijk@fastmail.com>
Verzonden:	dinsdag 25 mei 19.02
Onderwerp:	De dooie dood

Sorry dat ik nu pas terugschrijf. Ik had drie proefwerken achter elkaar. En ik moest dichten.
Ik vind het wel gek dat je nu opeens anders heet. Voor mij blijf je gewoon Rosa, hoor. Stel je voor dat ik mezelf opeens Jonaz ga noemen. Alhoewel… Klinkt wel apart. Eigenlijk best een goeie naam voor een dichter.
Mijn gedicht over de dood is klaar. Ik kan er niks aan doen, maar door die dooie dichter moet ik de hele tijd over de dood nadenken.
Geloof jij dat er zoiets als reïncarnatie bestaat? Ik vraag me wel eens af waar je was vóórdat je geboren was, en waar je

heen gaat als je dood bent. En of je dan weer opnieuw geboren wordt. Het kan toch bijna niet dat je er zomaar opeens wel bent, en dan nooit meer? En waarom dan? Zomaar toevallig? En waarom ben ik dan toevallig IK?? En niet Arnold Schwarzeneggert? Of Bill Gates?
Misschien herinnert Abeltje zich waar hij vandaan komt, die is er nog maar net. Maar die kan het niet vertellen. Hebben ze handig geregeld! Ik denk dat ik later ook filosoof word.

Waar komen we vandaan
en waar gaan we naartoe
Vraag het niet aan mij
want ik ben al zo moe

Goed, hè? Die rolde zomaar uit het toetsenbord. Ik ben niet echt moe, hoor, maar dat was voor het rijmen. Ik denk dat ik een natuurtalent ben. Nou, hier komt dan het dood-gedicht:

Het raadsel

Het schip vaart weg
als de dood in de nacht.
Is daar soms iemand
die op mij wacht?
Gaat het verder
blijf ik bestaan?
Of is het voorgoed
met mij gedaan?

Goed, hè? Vooral van dat schip. Ik zie het al voor me. Ik ben best trots op mezelf. Misschien ga ik ze wel opsturen naar een uitgever. Of naar Achterwerk, achter op de *VPRO-gids*.
Ja, dat is een goed idee.
Ik heb er voor een dichtbundel natuurlijk wel meer nodig.
Ik ga gauw aan het werk.
Weet jij nog onderwerpen?

Groeten van Jonaz (dichter-filosoof 1989-....)

Jonas de Leeuw

Van:	Rosa van Dijk <rosavandijk@fastmail.com>
Aan:	Jonas de Leeuw <jdl@xs22.nl>
Verzonden:	dinsdag 25 mei 19.59
Onderwerp:	Krakkerlak

Ik vind je gedichten echt heel mooi. Ik wil ze allemaal lezen, als het mag.
Ik geloof niet in reïncarnatie. Vooral omdat mijn moeder er wél in gelooft. Dat hoort volgens mij bij biologisch eten. Ze denkt zeker dat je, als je vlees eet, na je dood terugkomt als een zielig varken in een biofarm. Of, als je je slecht gedraagt, als een kakkerlak en dan: kraaaak! Gaat iemand op je staan en dan ben je een krakkerlak. Zij zegt altijd: je krijgt wat je verdient.
Nou, poeh, hé! Ik verdien dus een vervelende moeder en zij verdient een lastig kind.
Ik vind reïncarnatie eng.
Even iets heel anders: ik heb een paar vragen voor jou die ook over het leven gaan:
(graag serieus antwoord)

1. Vind je mij te dik?
2. Hoe sta jij tegenover piercings?
3. Wat vind je van graffiti?

Groetjes van
Rooz

Karien

'Miss Piggy is verwaand aan het worden!'
'Ze voelt zich te goed voor ons!'
'Knorknor!'
Rosa doet net alsof ze in een boek verdiept is, maar door de tranen in haar ogen kan ze nauwelijks lezen wat er staat. Stomme meiden, hebben ze dan niet in de gaten dat ze niet verwaand is, maar juist hartstikke onzeker?
'Hé, Roos, hoe gaat-ie?'
Rosa schrikt ervan, ze had Karien niet zien aankomen.
'Je staat hier zo alleen.'
Rosa haalt haar schouders op. 'Ik ben nog even mijn Frans aan het doorkijken. Ik heb het niet geleerd.'
Karien knikt naar de meisjes verderop, die druk staan te fluisteren en hun richting opkijken. 'Je moet je niks van die meiden aantrekken, hoor. Hoe meer je reageert, hoe leuker ze het vinden.'
Rosa schraapt haar keel. 'Het kan me niks schelen. Ze doen maar.'
'Heb je zin om vanmiddag mee de stad in te gaan?'
Rosa kijkt verrast op. Karien die haar meevraagt? 'Uhm, goed, hoor,' zegt ze zo onverschillig als ze kan. 'Om wat te doen?'
'Ik moet wat kleren kopen. En een frietje eten en zo.'
Rosa's maag rammelt. Friet... Als ze meegaat, kan ze de verleiding vast niet weerstaan. Maar... dit is de eerste keer dat Karien haar meevraagt.
Rosa knikt aarzelend. 'Oké, ik wil wel.'
Rosa ziet dat Karien haar met een medelijdende blik bekijkt voordat ze wegloopt. Of lijkt dat maar zo?

Dan hoort ze Esthers stem in haar hoofd. Denk positieve dingen, vrolijke gedachten!
Rosa recht haar schouders en fluistert: 'Ik ben hartstikke leuk, aardig en knap, en daarom vraagt Karien mij mee.'

'Vind je dat dit me staat?'
Rosa en Karien staan samen in een pashokje. Karien heeft een kort, blauw met wit gestreept topje aan. Ze heeft een schattige bh met bloemetjes eronder aan. Rosa schaamt zich. Zij draagt nog niet eens een bh. Niet nodig volgens haar moeder. Maar ze durft toch geen strakke T-shirts meer aan.
Karien heeft een piercing, ziet ze. Een klein, gouden ringetje door haar navel. En een perfect platte, bruine buik.
Rosa bloost. 'Het staat je hartstikke leuk.'
'Waarom pas jij ook niet iets? Deze bijvoorbeeld, staat je vast gaaf.'
Karien heeft een hele stapel topjes mee de kleedkamer in genomen.
Rosa friemelt verlegen aan haar krullen. 'Ach nee, dat past me niet.'
'Vast wel, doe nou eens aan.'
'En ik heb trouwens geen geld voor nieuwe kleren. Uuhh, mijn kleedgeld is op.'
'Hoeveel krijg jij?"
Rosa bloost weer. 'Uuh... tweehonderd in de maand.'
'Wauw, tweehonderd, dat is veel. Maar wie zegt eigenlijk dat je geld nodig hebt?' fluistert Karien en ze maakt een veelbetekenend gebaar.
Rosa schrikt. 'Wat bedoel je? Bedoel je dat...'
Karien knikt met een stalen gezicht. Ze haalt een schaar uit haar etui. 'Gewoon een knipje en weg is dat beveiligingsding. En het gaatje naai je gewoon dicht. Zie je niks meer van.'
Het zweet breekt Rosa uit. Kleren stelen, dat kan toch niet. Dat is wel heel erg. En als ze betrapt worden... Dan kijkt ze verlangend naar het truitje. Het is wel heel gaaf, en duur.
'Doe nou aan,' zegt Karien. 'Je bent toch zeker geen watje. Je wilt toch wel mijn vriendin zijn?'
Rosa slikt. Dus als ze niet meedoet, wil Karien niet bevriend met haar zijn. Mooie vriendin dan...

– Stel je niet zo aan! zegt de stem van Rooz in haar hoofd. Wil je soms alleen blijven? Iedereen kijkt hartstikke tegen Karien op. Het is een eer dat ze vriendinnen met je wil zijn. Wees blij! En verder krijg je geen kleedgeld, geen leuke kleren, maar je wilt er wel tof uitzien. Hoe denk je dat dan voor elkaar te krijgen? Kom op, stroopwafel! Doe niet zo schijterig.
– Maar... maar dan ben ik een winkeldief, zegt de zachte stem van Rosa terug. Dat is hartstikke slecht. En stel dat ze ons snappen?
– Puh! Je pikt toch ook geld van Alexander? Wat is het verschil? Wie wil je zijn? Suffe Roos, die niks doet en durft, of stoere sterke Rooz, de vriendin van Karien die door iedereen bewonderd wordt?
Karien zwaait met haar hand voor Rosa's ogen en zegt zachtjes: 'Ηého! Is daar iemand thuis? Je lijkt wel een zombie. Heb je er problemen mee?' Ze kijkt Rosa achterdochtig aan. 'Je denkt er toch niet over mij te verlinken of zo? Heb je een politiefluitje bij je?'
Rosa lacht. 'Nee gek, natuurlijk niet! Ik dacht gewoon even aan iets anders, uh, iets wat ik ook nodig had. Kom maar hier met dat truitje.' Ze draait zich om, trekt razendsnel haar bloes uit en het truitje aan.
'Zie je wel, staat je keigaaf!' zegt Karien enthousiast. 'Je zou eens wat vaker dit soort kleren moeten dragen! Staat veel cooler dan de dingen die je normaal aanhebt.'
Rosa bloost en houdt haar buik zo strak in dat ze bijna geen adem kan halen. 'Vind je niet dat ik hier te dik voor ben?' vraagt ze onzeker.
'Ach nee, hoe kom je erbij? Kom hier.' Voordat Rosa iets kan zeggen, heeft Karien al een knipje gemaakt in de zoom van het truitje, waar het beveiligingsknopje zit. 'Huppekee, kleertjes eroverheen en wegwezen,' fluistert ze. 'Hier, trek de mijne ook even aan. Onder jouw grote sweater zie je dat toch niet. Bij mij valt het te veel op.'
Rosa krijgt een steek in haar maag. Dus dát is de reden dat Karien haar meevroeg.
Karien houdt haar het topje voor. 'Nou?' Ze lacht vriendelijk.
Nee, dat is vast niet zo. Positief denken. Gauw trekt Rosa het tweede truitje aan en haar sweater eroverheen.

Kalm hangt Karien de andere truitjes terug en ze loopt rustig naar buiten. Rosa volgt haar met knikkende knieën.
'Makkie toch,' zegt Karien stralend en ze geeft Rosa een arm. 'Twee dingetjes missen ze toch niet. Die grote bedrijven maken bakken vol winst. Kom op, tijd voor wat lekkers.'
'Doe je dit vaak?' vraagt Rosa.
'Mmm... regelmatig. Als ik iets heel leuks zie. Van dat beetje kleedgeld dat ik krijg, kan ik die dingen niet betalen.'
'En wat zeg je dan tegen je ouders?'
'Dat ik het geleend heb. Of gekregen. En jij?' Karien kijkt Rosa van opzij aan.
'Wat bedoel je?'
'Je vertelt me toch niet dat jij zo'n heilig boontje bent, hè? Pik jij nooit iets?'
'Nee... uh. Nou, ik pik wel eens geld van mijn stiefvader. Mijn zakgeld wordt voor de komende veertig jaar ingehouden omdat ik de hele tijd van alles fout doe.'
'Pfff, stomme volwassenen. Hun wil is wet en wij hebben niks te vertellen. Ze begrijpen gewoon niet dat wij ook een eigen mening hebben.' Karien steekt haar arm door die van Rosa heen.
Rosa voelt zich slecht op haar gemak. Schichtig kijkt ze achterom of ze niet gevolgd worden door iemand uit de winkel.
Er loopt een stel stoere jongens voorbij. Een ervan fluit naar hen. Rosa ziet dat hun ogen in het voorbijgaan snel van Karien naar haar gaan, en dan weer bij Karien blijven hangen.
Karien ziet het ook. Ze steekt haar borsten vooruit en kwebbelt en lacht. Rosa weet opeens niet meer of ze nu wel echt zo graag vriendinnen met haar wil zijn. Maar ja... Karien is populair en dit is misschien toch beter dan niks. En is er een verschil tussen thuis zo nu en dan geld wegnemen en kleren in een winkel pikken?
– Precies, wat niet weet, wat niet deert! zegt Rooz in haar hoofd.
'Je bent een dief,' antwoordt Rosa.
'Wat mompel je nou?' vraagt Karien.
'Niks, niks,' zegt Rosa snel. 'Iets over een brief... die ik nog moet posten.'
In de friettent hangen vier jongens tegen de toonbank. Karien kent ze blijkbaar, want ze begint meteen enthousiast met ze te praten.

'Een friet mét en een kroket,' zegt ze tegen het meisje achter de toonbank. 'En doe er ook maar een blikje cola bij.'
Rosa voelt dat haar maag rammelt. Sterk zijn, sterk zijn, zegt ze tegen zichzelf. Ik ben hartstikke knap en leuk en ik word superslank als ik nu geen friet neem.
'Wat neem jij, Roos?'
'Ik hoef niks, ik heb geen trek.'
'Ach kom, vast wel. Je hebt tussen de middag ook niks gegeten. Ik trakteer.'
Rosa aarzelt. De stemmen in haar hoofd beginnen weer.
– Hé rijstwafel! Je doet toch aan de lijn?
– Ik val bijna flauw van de honger. Ik moet iets eten.
– Papzak! Slapjanus!
Karien stoot haar aan. 'Wil je nou wat of niet?'
'H-hetzelfde als jij, maar geen kroket, ik eet geen vlees.'
'Oké. Een vegetarische friet erbij,' zegt Karien tegen het meisje achter de toonbank.
Rosa ziet dat de jongens haar nieuwsgierig opnemen.
'Is dat je vriendinnetje, Karien?' vraagt een knappe jongen met spierwit geverfd haar.
'Jep,' zegt Karien, terwijl ze haar blikje openmaakt. 'Dit is Rosa, ze komt uit Brabant.'
Rosa bloost. Was het nou nodig om dat erbij te vermelden? Maar de jongens tonen geen interesse meer in haar en keren zich weer naar Karien, die vrolijk en mooi in hun midden staat te stralen.

Als Rosa thuiskomt, rent ze naar boven. Er is gelukkig nog niemand thuis. Ze trekt haar trui uit en gaat voor de spiegel staan. Als ze haar buik goed inhoudt, staat het topje inderdaad best leuk.
Maar ze is dik. Veel te dik. Ze knijpt in een vetrolletje. Jasses. Miss Piggy. Ze heeft een naar, vol gevoel in haar maag. Veel te veel friet gegeten, en dan die mayonaise... Samen minstens goed voor honderdduizend calorieën. Rosa haat zichzelf. Ze is een slappeling. Ze rukt het topje uit en stopt het diep weg achter in haar kleerkast. Dat van Karien propt ze onder in haar rugzak. Dan loopt ze naar de wc en ze steekt een vinger in haar keel.
– Als je zo slap bent dat je je niet kunt beheersen, moet het maar

zo. Wie mooi wil zijn, moet pijn lijden, zegt de harde stem van Rooz in haar hoofd.

Esther Jacobs

Van:	Rosa van Dijk <rosavandijk@fastmail.com>
Aan:	Esther Jacobs <esther@xs42.nl>
Verzonden:	woensdag 26 mei 20.11
Onderwerp:	Friends

Hoi Esther,

Hoe gaat het ermee? Long time no meel, hè?
Ik heb het nogal druk gehad. Ik trek tegenwoordig veel op met Karien, een meisje uit mijn klas. We gaan dan naar de stad en zo. Ik mag vaak haar kleren lenen en ik kan enorm met haar lachen.
Met mijn punten gaat het nog steeds niet best. Ik kan me niet concentreren. Als ik zit te leren, dwalen mijn gedachten de hele tijd af en dan ga ik tekenen. Ik had een 3,5 voor wiskunde.
Het komt ook doordat ik aan de lijn doe, dan heb ik 's nachts zo'n honger dat ik er niet van kan slapen.
Gelukkig vraagt mama bijna nooit hoe het op school gaat. Ze werkt heel hard, ze is nu hoofdredactrice bij haar tijdschrift en moet vaak ook 's avonds weg. Zit ik met Apenbil opgescheept. Ik blijf gewoon de hele tijd op mijn kamer, met mijn oortelefoons in. Heb ik er geen last van. Ik heb onze oude tv gekregen, dus ik amuseer me wel.
Het enige fijne in huis is Appie-prakkie. Hij kan al lopen! Ik heb het hem geleerd. Hij is zo lief, joh! En hij zegt lekker alleen maar Ooz! En nog niet papa en mama. Soms, als mama weg is, mag ik hem in bed stoppen en dat is hartstikke gezellig. Liedjes zingen vindt hij het leukst. Het kan hem niks schelen dat ik vals zing. Dan gaat hij in zijn handjes klappen en heen en weer wiegen en dan smelt mijn hart gewoon.
Het liefste wat ik doe, is tekenen. Dan vergeet ik alles om me

heen. Jonas heeft me een gedicht gemeeld over de dood (hij is van plan dichter te worden en is bezig met zijn eerste dichtbundel!!!). Bij dat gedicht heb ik deze tekening gemaakt. Ik heb hem ingescand en ik hoop dat hij overkomt. Ik heb hem ook naar Jonas gestuurd. Vind je het wat? Eerlijk zeggen, hoor.

De meelballetjes van Rosa

Het raadsel

Het schip vaart weg
als de dood in de nacht.
Is daar soms iemand
die op mij wacht?
Gaat het verder,
blijf ik bestaan?
Of is het voorgoed
met mij gedaan?

Rosa van Dijk

Van:	Jonas de Leeuw <jdl@xs22.nl>
Aan:	Rosa van Dijk <rosavandijk@fastmail.com>
Verzonden:	woensdag 26 mei 21.02
Onderwerp:	Dichter en dichter

Hoi Rozie,

Bedankt voor je tekening, ik vind hem echt fantastisch! Je moet niet zeggen dat je niet kunt tekenen! Je hebt hartstikke

veel talent! Wil jij mijn dichtbundel illustreren? Kunnen we als team werken en dan worden we samen beroemd.
Ik heb een gedicht naar Achterwerk gestuurd en ben stikzenuwachtig of ze het plaatsen.
Het is een liefdesgedicht:

Je haren zijn zo zacht
als een vlinder in de nacht
Als de hemel blauw
hou ik veel van jou
Liever dan mijn hond
vind ik jouw mond
Duizend euro gaf ik voor
een kus op jouw lieve oor
Mooier dan mijn scheve tanden
zijn jouw bruine slanke handen
Je ogen zijn als juwelen
dat zeiden vast al velen
Er is dan ook maar één probleem
dat zijn die jongens om je heen
Dus ik moet voor eeuwig smachten
en je beminnen
in mijn gedachten

Mooi, hè? Denk je dat ze het plaatsen? Maak je er een tekening bij?
Ik heb er ook een over eenzaamheid gemaakt. Zielige gedichten maken vind ik leuk, daar krijg ik zo lekker de kriebels van in mijn buik.

De wereld is een uitgestrekte vlakte
met mij heel alleen ermiddenin
Ik schreeuw ik roep
maar kan ik verwachten
Dat iemand me hoort
of heeft het allemaal geen zin?

Ik heb al 23 gedichten af. Het schiet op. Als ik er 100 heb, stuur ik ze naar een uitgeverij. Dan word ik de jongste dichter ter wereld en kom ik op tv en in de krant.
Zul je dan trots op me zijn en zeggen: kijk, met die jongen heb ik Internet Verkering?

Groetzels van Jonaz

P.S. We hebben toch nog wel IV?

Moon

'Laat eens zien, Rosa?'
Rosa legt gauw haar ellebogen over de tekening heen. Het is niet het stilleven dat midden in de klas staat, maar een tekening voor bij het gedicht van Jonas.
Gauw slaat ze het blaadje om. Het stilleven dat ze klassikaal moesten tekenen, heeft ze slordig en snel geschetst. Wie is er nu geïnteresseerd in een afgekloven appel, een tros bananen, een komkommer en een bloemkool? Het zijn vast Meyers boodschappen voor zijn avondeten.
'Nee, ik wil die andere tekening graag zien, die waar je mee bezig was.'
Rosa bloost. 'Die... die is mislukt, meneer.'
'Helemaal niet. Ik zag hem net toen ik achter je stond en ik vond hem mooi.'
Houdt hij haar nu voor de gek? Maar Meyer ziet er heel serieus uit. Hij kijkt haar met helderblauwe ogen aan, vanachter een bril met een zwaar montuur. Hij is eigenlijk nog helemaal niet zo oud, ziet Rosa opeens. Misschien eind twintig.
Verlegen slaat ze het vel terug en ze gaat rechtop zitten. Ze hoort de meisjes achter zich fluisteren. 'Aandachttrekker! Uitslover!'
De tekening is met houtskool gemaakt. Een woestijn met een donkere sterrenhemel erboven en op een lichte plek zit, heel klein en verlaten in het midden, een in elkaar gedoken figuurtje.
'Ze heeft vast een zelfportret getekend,' fluistert het meisje rechts van haar, dat half uit haar bank hangt om het ook te kunnen zien. 'Wat een aanstelster.'

'Ja, het lijkt net een varkentje!' sist haar buurvrouw.
'Zeg, doe eens niet zo ongelofelijk kinderachtig,' zegt meneer Meyer boos en hij draait zich om. 'Bemoeien jullie je met je eigen zaken, dames. Jullie tekeningen zijn nog ver onder de maat.' Hij werpt nog een blik op Rosa's tekening en loopt dan verder.

Als de les afgelopen is, houdt Meyer haar tegen.
Rosa bloost en kijkt schichtig om zich heen. De pestmeiden zijn gelukkig al weg.
'Mag ik nog even in je tekenblok kijken, Roos?'
Ze haalt verlegen haar schouders op. 'Het stelt niks voor, meneer.'
'Ik zou het toch graag zien. Ik ben gewoon nieuwsgierig.'
Met trillende handen legt Rosa haar schetsblok op de lessenaar neer. Ze gaat vast af als een gieter. Er staan een heleboel tekeningen in die ze voor zichzelf heeft gemaakt. En ook schetsen voor haar graffitinaam.
Ze legt het blok open bij de tekening van de woestijn.
'Hij is echt mooi,' zegt Meyer. 'Er zit veel gevoel in. En ook... eenzaamheid.' Hij kijkt Rosa doordringend aan. 'Is het een zelfportret, Roos? Voel jij je zo?'
Rosa bloost diep en wil het blok weggrissen, maar Meyer houdt haar tegen.
'Nee, hoor, het is een tekening bij een gedicht van... van iemand,' stottert ze.
'Mag ik de rest ook zien?'
Rosa haalt diep adem. 'Nou... goed dan. Maar het zijn vooral eigen tekeningen, hoor, geen schoolopdrachten.'
De leraar bladert met aandacht door het schetsboek heen. Hij stopt even bij de graffitischetsen. 'Erg goed, deze ontwerpen. Doe je soms aan graffiti?'
'N-nee hoor, die-die maak ik zomaar voor de grap.'
'Ik heb vroeger wel gespoten,' fluistert Meyer. 'Niet verder vertellen, hoor. Voordat ik naar de kunstacademie ging.'
'Echt waar?' vraagt Rosa verbaasd. 'Had u dan ook een graffitinaam?'
Meyer grinnikt en knikt. 'Er zaten ook twee o's in, net als bij

jou.' Hij pakt een blaadje en schetst er snel iets op.
'Moon,' spelt Rosa. 'Gaaf, met die maan erin. Heet u echt zo?'
'Nee, ik heet Samuel, maar mijn vrienden noemen me Sam. Moon is mijn graffitinaam. De maan heeft iets magisch, vind je niet? Ik ging vaak spuiten bij volle maan, dan lukte het altijd extra goed.'
Rosa kijkt hem met open mond aan.
'Had je niet van me gedacht, hè?' Meyer zet zijn bril af en Rosa ziet dat hij nog jonger is dan ze dacht.
'U... u ziet er zo jong uit... Die bril...'
Meyer grinnikt. 'Die zet ik inderdaad op om wat ouder te lijken. Er zit gewoon glas in. Anders kan ik jullie helemaal niet onder de duim houden. Dat blijft tussen ons, hè?'
Rosa knikt.
'Ik ben drieëntwintig. Dit is mijn eerste baantje.'
Rosa lacht. Ze vindt Meyer aardig. En eigenlijk heel knap ook, zonder bril. Ze bloost en kijkt gauw de andere kant op.
'Je moet hier echt mee doorgaan, hoor.' Meyer wijst naar het tekenblok. 'Je hebt talent. Zit je op tekenles?'
Rosa doet haar blok dicht en stopt het in haar rugzak. 'Nee.'
'Zou je het willen?'
'Daar... daar heb ik nog nooit aan gedacht eigenlijk.'
'Als je wilt, kan ik je les geven. Heb je daar zin in?'
Rosa haalt haar schouders op en weet niet wat ze moet zeggen. Ze heeft het gevoel dat ze droomt. Haar hart slaat als een hamer tegen haar ribben. Zij? Talent? Tekenles?
'Nou... uh ja, b-best, hoor,' stottert ze uiteindelijk. 'Graag zelfs.'

Jonas de Leeuw

Van:	Rosa van Dijk <rosavandijk@fastmail.com>
Aan:	Jonas de Leeuw <jdl@xs22.nl>
Verzonden:	donderdag 27 mei 18.11
Onderwerp:	Zoooooooooooo blij!

Hey Boontje!

Je glooft me nooit! Dankzij jouw gedicht krijg ik tekenles! Van mijn tekenleraar op school! Morgenmiddag begin ik. Hij heet Samuel Meyer en hij is kei-aardig. Hij betrapte me toen ik een tekening bij jouw gedicht zat te maken en toen wilde hij de rest ook zien. Hij vindt dat ik talent heb! Dat heeft nog nooit iemand tegen me gezegd! Mijn moeder zit alleen maar te zeuren dat ik altijd al mijn schriften volkrabbel en dat ze steeds nieuwe moet kopen.
Morgenmiddag na school ga ik naar hem toe, want dan ben ik al om halftwee uit. Spannend, joh! En hij vertelde dat hij vroeger ook graffiti heeft gespoten!
Ik ben echt superblij en vereerd dat hij mij, Rooz van Dijk, uitgekozen heeft! Ik kan het bijna niet geloven. Ik ben zooooo blij!
Hoe is het met je dichtbundel? Is je gedicht al geplaatst? Ik zal het ook in de gaten houden, want wij hebben de *VPRO-gids* ook. Ik zal voor je duimen. Het wordt vast je doorbraak.
Meel jij nog wel eens met Esther? Ik de laatste tijd niet zo veel meer. Ze heeft nogal kritiek op wat ik doe. Soms lijkt ze wel een zeurderig omaatje met al haar goeie raad, in plaats van een vriendin van veertien.
Jij hebt nooit commentaar, dat is fijn. Jij bent de enige tegen wie ik eerlijk durf te zijn.
Ja, we hebben nog IV (dacht ik!). (Of wil jij niet meer?)

De wiebelewoppies
van je vriendin

Rooz

'Het is op de veertiende verdieping,' klinkt Meyers stem door de intercom. 'Loop maar door, de lift is in de gang.'
Rosa is een beetje teleurgesteld. Ze had gedacht dat hij op zijn minst in een artistiek kraakpand zou wonen of in een vervallen oude villa.
Ze loopt de lift in en drukt op het knopje. Er is een grote spiegel. Rosa bestudeert zichzelf onzeker. Ze ziet er belabberd uit, met pukkels op haar voorhoofd en kringen onder haar ogen. Haar haar hangt in futloze krullen langs haar gezicht. Ze slaapt slecht de laatste tijd. Van de honger en van die twee stomme stemmen in haar hoofd. Boze Rooz en bange Rosa.
Maar nu heeft ze Rooz nodig. Als ze naar Rosa zou luisteren, zou ze van de zenuwen meteen rechtsomkeert maken en hard naar huis fietsen.
Ze klemt haar tekenmap stevig onder haar arm en bekijkt zichzelf van de zijkant. Ze heeft het gepikte topje aan. Het staat leuk, maar ze voelt zich er ongemakkelijk in. Alsof ze de huid van iemand anders draagt.
Ja, de mijne, zegt de stem van Rooz in haar hoofd. Je nieuwe huid. Je wilde toch veranderen?
Hou je buik maar in, miss Piggy, en kijk wat vrolijker! En by the way, er zit een enorme knoeperd naast je neus!
Rosa buigt zich net naar de spiegel toe om de pukkel uit te knijpen, als de liftdeur opengaat.
'Hé die Roos, leuk dat je er bent! Ik heb de thee al klaarstaan!'
Met een rood gezicht loopt Rosa Meyer achterna. Hij ziet er leuk en jong uit, zonder bril, in een wit T-shirt, een spijkerbroek vol verfvlekken en op blote voeten.
'Kijk maar eens rond, hoor. Ik pak de thee en de koekjes even.'
De flat is totaal niet wat ze ervan verwacht had. Het is een penthouse, een appartement boven op het dak van de flat. Het is er heel licht, met grote ramen en uitzicht over de hele stad. Er zijn geen muren of deuren. In een hoek is een keuken, in een andere hoek, verscholen achter een boekenkast, staat een tweepersoons bed. Achter een enorme massa hoge planten ziet ze een ouderwets bad op pootjes.
Overal op de houten vloer liggen stapels boeken en voor het raam staat een lange houten tafel, bezaaid met spullen. In een

hoek staat een ezel, met een doek erop. Ernaast staat nog een tafel met verfspullen, kwasten en oude lappen. Ze loopt naar het schilderij toe.
Meyer komt naast haar staan. Hij ruikt fris, naar zeep en verf. In zijn handen heeft hij een dienblad met een pot thee en een schaal koekjes.
Hij houdt zijn hoofd schuin en bekijkt het doek met half dichtgeknepen ogen. 'Nou, wat vind je ervan?'
Rosa doet een stap achteruit. Vanaf het doek kijkt een jongen haar dromerig aan. Hij is naakt, zijn huid is heel bleek en hij zit onder een grote, knoestige boom. Zijn lichaam heeft ijle transparante kleuren, maar de boom is geschilderd met wilde dikke verfklodders in paarse, blauwe en groene tinten.
'Prachtig, meneer. Het is... het is heel bijzonder,' stottert Rosa. 'De lucht en de boom zien er onheilspellend uit, alsof het heel hard gaat stormen, maar de jongen weet het nog niet. Hij kijkt zo kalm... alsof hij droomt. Ik krijg er... een raar gevoel van.'
'Precies, dat bedoelde ik er ook mee. Een schilderij hoeft niet heel mooi te zijn. Als het maar iets met je doet. Kunst moet je raken, moet dingen diep vanbinnen laten meetrillen. Het moet je aan het denken zetten. En noem me alsjeblieft geen meneer hier, Rosa. Zeg maar gewoon Samuel, of Sam, wat je wilt.'
'Oké,' zegt Rosa verlegen.
Plotseling ritselt er iets tussen de planten.
'Wat is dat?'
Samuel lacht en fluit. De bladeren bewegen en Rosa vangt een glimp op van iets blauws.
'Dat is Biertje, mijn parkiet, hij woont daar tussen de planten.'
'Heet hij Biertje?' vraagt Rosa giechelend.
'Ja. Als ik thuiskom, roep ik altijd: Biertje? En dan komt hij aangevlogen en gaat op mijn schouder zitten.'
'Zit hij niet in een kooi?'
'Nee, hoor, dat vind ik zielig. Nou, ga zitten, Roos, neem een koekje en laat maar eens zien wat je bij je hebt.'

Jonas de Leeuw

Van: Rosa van Dijk <rosavandijk@fastmail.com>
Aan: Jonas de Leeuw <jdl@xs22.nl>
Verzonden: zondag 30 mei 11.12
Onderwerp: Graffititips voor beginners

Hoi Jooz-matrooz,

De tekenles was geweldig, joh! Echt supercool. Het was eigenlijk geen tekenles, maar graffitiles! Meyer heeft me precies uitgelegd hoe het allemaal moet. De volgende keer ga ik pas echt met tekenen beginnen.
En weet je wat het gaafste is? Ik mag zijn oude graffitispullen hebben!!! Goed, hè?
Zestien spuitbussen in allerlei te gekke kleuren en een heleboel losse caps erbij! Ontzéttend aardig.
Jij weet natuurlijk niet wat caps zijn, hè? Ik wel dus. Weet je wat, ik zal die tips ook voor jou opschrijven, dat is handig voor als je graffitispuiter wilt worden i.p.v. dichter.

Graffititips voor beginners
1. Koop goede verf. Er bestaat spuitverf die speciaal voor graffiti is gemaakt.
Omdat graffiti spuiten (meestal) illegaal is, zijn de spuitbussen moeilijk verkrijgbaar. Je kunt het navragen bij mensen die ervaring met graffiti hebben. Op het Waterlooplein in Amsterdam kun je het in ieder geval kopen. (Daar hebben jij en ik natuurlijk niks aan. Zeker eventjes naar Amsterdam om verf te kopen.)
2. De verf moet goed dekkend zijn, een brede straal kunnen maken, en de spuitbus moet de juiste druk kunnen leveren.
3. De caps, dat zijn de spuitopeningen van de spuitbus, zijn heel belangrijk. Als je cap verstopt is, kun je niet of slecht spuiten.
4. De caps kun je los kopen en verwisselen. Zorg dat je er een stel op voorraad hebt. Ze zijn niet duur.
5. De caps worden gemaakt met verschillende maten spuit-

opening. Van heel smal, voor het fijne werk, tot heel breed, voor grote vlakken.
6. Denk om je longen, de verf is giftig. Adem hem niet in en draag een beschermkapje. Pas ook op voor je ogen.
7. Spuiten gaat het beste op gladde, niet poreuze oppervlakkes.
8. In sommige steden heb je een 'Hall of Fame'. Dat is een plek, meestal een plein met muren of schuttingen eromheen, waar wél gespoten mag worden. Daar kun je ook andere spuiters ontmoeten.
9. Graffitispuiters hebben een soort erecode. Het is bijvoorbeeld absoluut verboden om over andermans werk heen te spuiten. (Oei, dat heb ik dus wel gedaan!) Ze verlinken elkaars namen natuurlijk ook niet als ze opgepakt worden.
10. Graffitispuiters werken vaak in (vrienden)groepen. Daarbinnen heerst een soort rangorde. Wie het meeste durft en de mooiste tekeningen maakt, heeft de meeste rechten.
11. Iedere graffitispuiter heeft een schuilnaam. Hij spuit dus nooit zijn echte naam. Mijn graffitinaam is ROOZ.
12. Graffiti spuiten is illegaal, hartstikke verboden en strafbaar dus. Vooral de spoorwegpolitie is heel erg streng. Als ze je oppakken, ben je nat. Je gaat de bak in, je moet een boete betalen en je kunt zelfs voor de rechter moeten komen (dan krijg je dus een strafblad) en/of je moet naar bureau Halt, waar je gesprekken krijgt en een taakstraf.
13. Spuit niet op gevaarlijke plaatsen: te dicht langs het spoor, in metrotunnels of op hoge, moeilijk bereikbare plekken. Er zijn op die manier al heel wat ongelukken gebeurd.

Indrukwekkende lijst, hè? Om bang van te worden eigenlijk. Maar het is zó leuk, joh. Als je goed om je heen kijkt, zie je overal graffitikunstwerken. Soms zie je ook heel mooie op bouwschuttingen en die zijn niet illegaal, maar in opdracht gemaakt. Meyer heeft een keer een heel grote gemaakt op de muur van een dierenwinkel, vertelde hij. Daar kreeg hij flink voor betaald. De wereld wordt er een stuk vrolijker door, vind ik. En het is echt kicken als je je eigen tekening ergens ziet staan, zodat iedereen die kan zien.

Meyer heeft me foto's laten zien van dingen die hij gemaakt heeft, ze zijn hartstikke gaaf.
Ik kan bijna niet wachten tot de tekenles van volgende week.
Hij is zo aardig, joh. Hij is de eerste volwassene die mij niet behandelt als een onnozel kind, maar als zijn gelijke.
Hij is ook nog niet zo oud, pas drieëntwintig en net van de kunstacademie af. En – niet jaloers worden – hij is ook heel knap. Donker, krullend haar tot op zijn schouders en superblauwe ogen met lange wimpers. Als hij lacht, heeft hij een kuiltje in zijn rechterwang.
Hij heeft ook een kanarie en die heet Biertje, omdat hij blauw is met een geel kraagje. Die zit niet in een kooi, maar woont in een soort van plantenoerwoud. Hij was in het begin heel schuw, maar toen hij een beetje aan mij gewend was, kwam hij tevoorschijn en ging op Meyers hoofd zitten!
Ik mag hem (Meyer) trouwens Sam noemen, maar dat durf ik nog niet zo goed.
Ik heb niet aan mama verteld dat ik tekenles heb. Dadelijk mag het weer niet of zo.
Ik ben echt zo blij, joh!

De wabbelewieltjes
van
Rooziedozie

Hoe overleef ik mijn lijn?

Rosa van Dijk

Van: Esther Jacobs <esther@xs42.nl>
Aan: Rosa van Dijk <rosavandijk@fastmail.com>
Verzonden: dinsdag 1 juni 14.02
Onderwerp: Hoe overleef ik mijn lijn?

Hoi Rozeltje,

In mijn moeders tijdschrift stond een artikel over lijnen. Superstrak in je bikini en klaar voor de zomer en zo. Wat een geklets. Weet je dat zo ongeveer zestig procent van de vrouwen in Nederland aan de lijn doet? Dat komt door dat stomme modebeeld. In tijdschriften zie je alleen maar van die broodmagere meisjes waar de botten aan alle kanten uitsteken. Op MTV precies hetzelfde. Als je jezelf daarmee gaat vergelijken, word je doodongelukkig. Er stonden tips in om op een gezonde manier aan de lijn te doen. Ik zal ze voor je overtypen.
Wat jij doet, jezelf uithongeren, is echt superslecht en het helpt meestal ook niks. Soms wel en dan eindig je als skelet.

Survivaltips om gezond af te vallen

1. Eet regelmatig. Sla geen maaltijden over, want dan krijg je hartstikke honger. Goed ontbijten is vooral heel belangrijk.
2. Je kunt beter flink ontbijten dan veel avondeten nemen, want 's nachts verteert je eten minder snel.
3. Na het avondeten kun je beter niet (veel) meer eten.
4. Begin de dag met fruit, dat is heel gezond. Als je nog in de groei bent, eet dan ook zeker een paar boterhammen of wat yoghurt met cornflakes of muesli.
5. Snoep zo min mogelijk tussendoor. En als je zin hebt in wat lekkers, eet dan wortels, radijs of komkommer. Die kun je makkelijk in een plastic zakje mee naar school nemen. Als je een opmerking krijgt, zeg je gewoon dat je een cursus Konijn aan het doen bent.
6. Van fruit word je ook niet dik. Frambozen, aardbeien en bessen zijn supergezond en er zitten bijna geen calorieën in.
7. Eet zo min mogelijk vette dingen. Vet zit vooral in junkfood, zoals alles uit de snackbar, pinda's, chips, gevulde koeken en zo. (Alles wat lekker is dus, helaas.)
8. Lichaamsbeweging is heel belangrijk. Als je normaal eet, niet te veel tussendoor snoept en regelmatig beweegt, kun je bijna niet te dik worden.
Fietsen is heel goed, sporten natuurlijk ook. Touwtjespringen werkt ook prima!
Als je niet op een sport zit, kun je een paar keer per week een rondje joggen of 's ochtends wat buikspieroefeningen doen.
9. Drink veel water, dat spoelt goed door. Zorg dat je een fles in je tas hebt zitten. Drink zo min mogelijk frisdrank.
10. Gebruik geen afvalmiddelen, zoals laxeerpillen of dieet-drankjes. Die zijn echt hartstikke slecht voor je gezondheid.
11. Weeg jezelf maar één keer per week, anders word je knettergek.
12. Bij meisjes gaat het gewicht maandelijks op en neer. Voordat je ongesteld wordt, houdt je lichaam meer vocht vast, waardoor je zomaar een of twee kilo zwaarder kunt zijn. Dat gaat er na een paar dagen vanzelf weer af. Geen zorgen om maken dus.

Nou Rozie, ik hoop dat je er iets aan hebt. Ik neem tegenwoordig ook wortels mee naar school. Helaas moest ik ze gisteren inleveren tijdens Frans. Mevrouw Legrand zei dat ze geen knaagdieren in de klas wilde. Toen ik ze na de les terug wilde halen, had ze ze zelf opgegeten. Nou ja!

Groetjes van Es Konijn

Rosa veegt de tranen weg en kijkt in de spiegel. Haar gezicht ziet rood en haar ogen zijn opgezwollen. Ze plenst wat koud water in haar gezicht en doet het nepringetje terug in haar neus. Getver, wat is overgeven smerig. Haar keel schrijnt ervan en ze is misselijk. Maar ze had veel te veel macaroni gegeten vanavond. Alweer zo'n onbeheerste schranspartij na een dag van bijna niks eten. Ze had drie keer een hele berg opgeschept! Gauw poetst ze haar tanden om de vieze smaak weg te krijgen.
Eerst stak ze alleen maar zo nu en dan haar vinger in haar keel, maar tegenwoordig doet ze het bijna elke avond. En soms ook overdag nog een keer, als ze heel veel gesnoept heeft. Maar het helpt. De weegschaal wijst achtenvijftig kilo aan en haar broeken zitten niet meer zo strak. Als Esther zou weten dat ze op deze manier aan de lijn doet...
Er wordt op de deur van de badkamer geklopt. Rosa schrikt.
'Roos, wat ben je aan het doen?' De stem van haar moeder klinkt ongerust.
'Ik ben mijn tanden aan het poetsen,' roept Rosa met haar mond vol schuim.
'Doe eens open! Ik wil even met je praten.'
Rosa kijkt in de wc of alles wel goed weggespoeld is en maakt dan de deur open.
Haar moeder kijkt haar onderzoekend aan. 'Wat ziet je gezicht rood.'
Rosa wrijft over haar wangen en haalt haar schouders op.
'Ik dacht dat ik je hoorde overgeven. Voel je je niet goed?'
Rosa aarzelt. Ze kan nu beter niet helemaal liegen. 'Nee, ik moest overgeven. Ik werd opeens heel misselijk. Er is iets verkeerd gevallen, denk ik.'
Haar moeder strijkt haar over haar vochtige krullen. 'Je ziet er

niet goed uit, meisje, je hebt kringen onder je ogen en je ziet bleek. Gaat het wel goed met je?'
Rosa knikt en loopt haar voorbij naar haar kamer.
Haar moeder loopt haar achterna en gaat op haar bed zitten. Rosa ziet dat ze misprijzend rondkijkt. 'Je moet echt eens opruimen. Wat een beestenboel is het hier.'
'Het is toevallig wel mijn kamer, hoor, ik vind het gezellig zo.'
Haar moeder zucht. 'En dat idiote ding in je neus. Wanneer hou je daar nu eens mee op?'
Je moest eens weten wat ik van plan ben, denkt Rosa. Daar gaan we weer. Preek nummer zoveel komt eraan. Ze zucht en doet haar oortelefoons in.
Haar moeder trekt de dopjes eruit. 'Rosa, ik praat tegen je! Je moet je niet zo afsluiten. Het kan echt niet dat je de hele dag met die muziek keihard aan rondloopt. Dadelijk beschadig je je oren nog. En het is niet bepaald gezellig voor ons.'
Geïrriteerd stopt Rosa de dopjes weer terug. 'Maar wel voor mij. Hou toch eens op met dat commentaar de hele tijd, mam. Je hebt altijd wel iets op me aan te merken. Ik word er doodziek van.'
Ze ziet dat haar moeder bloost. Beneden begint Abeltje te huilen.
'Sorry schat.' Rosa's moeder staat op en strijkt haar rok glad. 'Ik heb het zo druk de laatste tijd en jij...'
'En ik ben niet de dochter die je je zou wensen,' flapt Rosa eruit. Ze schrikt er zelf van.
Haar moeder komt naar haar toe en trekt haar tegen zich aan. 'Dat is het niet, schat. Ik hou echt heel veel van je. Maar ik heb het ontzettend druk, met mijn werk en Abeltje en... en er zijn spanningen tussen Alexander en mij.'
'Gaan jullie scheiden?' vraagt Rosa hoopvol. Meteen voelt ze zich schuldig. Alexander is tenslotte wel de vader van Appie.
'Nee,' zegt haar moeder sussend. 'Natuurlijk niet. Elke relatie kent ups en downs en dat betekent heus niet dat het dan meteen op een scheiding uitdraait.'
Rosa kijkt haar moeder onderzoekend aan. Ze ziet aan haar ogen dat er wel meer aan de hand is dan een beetje spanningen. Maar ze wil er niets over horen. Diep in haar hart heeft Rosa haar moeder nooit vergeven dat ze wilde scheiden van haar vader.

'Zeg Roos, nog even iets anders. Zou jij volgende week op je broertje willen passen? Alex en ik moeten naar een feestje. Ik denk dat je er nu wel groot genoeg voor bent en je kunt er wat geld mee verdienen. Abel slaapt toch de hele nacht door en als er iets is, kun je altijd bellen. Wil je het?'
Rosa denkt snel na. Een avond alleen biedt perspectieven!
'Best, hoor.'
Haar moeder geeft haar een zoen op haar voorhoofd. 'Je bent mijn lieve, grote dochter en ik hou van je, ook al mopper ik best vaak op je.'

Rosa van Dijk

Van:	Jonas de Leeuw <jdl@xs22.nl>
Aan:	Rosa van Dijk <rosavandijk@fastmail.com>
Verzonden:	woensdag 2 juni 20.01
Onderwerp:	Tachtig-achtig

Ha die bozo Rozo,

Wat tof, die tekenles! En dankzij mijn gedichten! Ik vind het echt heel fijn voor je. En ik ben heus niet jaloers, hoor.
IV staat voor Innige Vriendschap, OK?
Bedankt voor je spuittips. Ik let tegenwoordig veel meer op graffiti. Vroeger viel het me niet echt op. Sommige dingen zijn echt vet gaaf. Wat zou je ervan vinden als ik de eerste spuitende dichter ter wereld werd? Of dichtende spuiter? Ik ga graffitigedichten op gebouwen schrijven! Yes! Goed idee!
Ik ga ook een spuitbus kopen. Zijn ze duur?
Ik kan niet slapen, want morgen komt de *VPRO-gids*.
En ik heb ook last van een op hol geslagen dichthoofd. Ik denk de hele tijd in dichtregels en kan daar niet mee stoppen, ook al wil ik het. Ik word er helemaal ibbel van. Lig ik in bed met het licht uit en hop, daar komt weer een compleet meesterwerk naar boven geborreld. Licht aan, snel opschrijven. Licht uit, ogen dicht en hup! Daar gaan we weer. En zo blijf ik alsmaar klaarwakker, ook al ben ik doodmoe.

Ik lig in mijn bed en woel
Mijn gedachten tuimelen
en ik voel
mijn hart kloppen
mijn tenen wiebelen
Mijn rug die jeukt
en mijn vingers kriebelen
Dus sta ik op
en schrijf dit gedicht
En hoop dat de VPRO-gids
voor mij zwicht

Haha.
Ik meel nog wel met Esther. Ze maakt zich zorgen om je en ze denkt dat je boos op haar bent, omdat ze kritiek op je had. Je hebt haar al een hele tijd niet meer teruggeschreven, hè?
O, wacht, er borrelt nog een gedicht omhoog:

O Maneschijn, met uw teder licht
breng mij toch spoedig een bericht
waarnaar ik al maanden lig te smachten
Dat zij mij de blijde stonden brachten:
mijn gedicht – omkranst door stralen
het tot het Achterwerk gaat halen

Hahaha. Dit is een heel andere stijl. Dat komt doordat ik op mijn bureau een verzamelbundel van de Tachtigers heb liggen, en daar zat ik in te bladeren. Er staan ook wat foto's bij. De Tachtigers waren oude meneren met snorren en pijpen, en ze leefden aan het eind van de negentiende en het begin van de twintigste eeuw. Ik weet eigenlijk niet waarom ze dan Tachtigers heten. Ze schreven superromantische gedichten met allemaal rare, zelfverzonnen woorden. Gedichten waar je zo'n wiebelig gevoel van in je maag krijgt. En ze gingen allemaal over verloren liefde en de dood en zo. Flink wat liefdesverdriet is volgens mij erg inspirerend voor een dichter.

O, juffrouw, breek mijn hart
trek nog een paar gemene gezichten
Dan schrijf ik straks met smart
nog een stel hele mooie gedichten!

Die heb ik zelf bedacht, knap, hè? Mijn vader heeft me verteld dat dichtregels die op elkaar rijmen evenveel lettergrepen moeten hebben. Dan loopt het gedicht beter.
Eigenlijk is het niet erg om aan slapeloosheid te lijden. Zo komt mijn bundel tenminste snel af. Een klein probleempje is dat de meeste 's ochtends toch niet zo geweldig zijn als ik dacht, toen ik ze opschreef. En soms kan ik niet eens meer lezen wat ik neergekrabbeld heb.
Weet je wat ik ontdekt heb: bijna alle dichters waren mannen. Alleen de laatste tijd zijn er meer vrouwen. Ze waren toen zeker nog niet zo geëmancipeerd. De vrouwen moesten voor hun tientallen kinderen zorgen en de mannen zaten lekker op hun studeerkamer aan hun pijpen te lurken en gedichten te schrijven.
Hier komt een gedicht van de enige Tachtigster die ik heb kunnen vinden, het is Hélène Swarth (1859-1941). Die is dus tweeëntachtig geworden. Ik zal ze eens allemaal gaan narekenen, misschien heetten ze zo omdat ze allemaal ouder dan tachtig geworden zijn. Dan wil ik ook wel een Tachtiger worden.

Lentekus

Zijn niet de rozen rood van liefdeslust?
en trillen niet, gebaad in maneglansen
De hoge popels, die het meer omkransen
wanneer de wind hun smachtend lover kust?

Zoekt niet de vlinder heil- en honigkansen
bij elke bloem, waarin hij zalig rust?
En tint'len niet, hun godd'lijk schoon bewust
doorgloeid van zonnevuur, de blauwe transen?

(het gaat nog even verder, hoor, maar dat wordt misschien saai voor jou)

Woeiii! Die Heleentje was keiverliefd als je het mij vraagt. Ik voel me opeens heel raar vanbinnen. Romantisch, hè? En wat een malle woorden staan erin. Wat zijn Popels en Transen? En heil- en honigkansen?? Weet jij het? En smachtend lover? Zou het Engels zijn? Blijkbaar kan dat allemaal in gedichten.
O, ja, ik moest nog serieus antwoord geven op je vragen:
Wat vind ik van piercings?
Ik vind ze historisch verantwoord. In de oertijd versierden de mensen hun lichamen al, op de meest maffe manieren. En kijk eens naar de Afrikaanse stammen, daar doen ze jampotdeksels door hun lippen en steken ze hele boomstammen door hun oren. Ze verlengen hun hals totdat ze op giraffen lijken en beschilderen zichzelf van top tot teen met verf.
Ze maken zelfs sneeën in hun lichaam en gezicht en wrijven daar dan as in, zodat het mooie, kunstzinnige littekens worden. Ik denk dat zo'n deksel in je onderlip jou best zou staan. Alleen zoent het wat moeilijk. Misschien kun je hem beter in je oor doen.
Wat vind ik van graffiti?
Dat vind ik ook historisch verantwoord. De mensen in de prehistorie maakten schilderingen op de muren van de grotten. Die grotten waren in feite hun huizen. Misschien zijn ze wel gemaakt door stoute puber-Neanderthalertjes, weten wij veel! En nu zeggen we dat het kunst is! Vroeger werden ze misschien wel voor straf in een grot opgesloten als ze een muur bekalkt hadden met tekeningen van mammoeten en poppetjes met speren! Of moesten ze hem weer schoonboenen. Of ze kregen een klap op hun kop met de knots van hun moeder!
Vind ik jou te dik?
Nee, mannen (ik ook dus!) houden van rond en gevuld en niet van magere sprinkhanen. Al die sprieterige fotomodellen vind ik net spoken. Als je zo'n dame omhelst, zit je onder de

blauwe plekken omdat haar botten zo uitsteken. Weet je dat de mensen vroeger dik mooi vonden? En mager lelijk?

Veel groeten van je
smachtende (IV)lover

Jonaz

Jonas de Leeuw

Van:	Rosa van Dijk <rosavandijk@fastmail.com>
Aan:	Jonas de Leeuw < jdl@xs22.nl>
Verzonden:	woensdag 2 juni 22.15
Onderwerp:	FREE ME!

Hey Jooz,

Woeha, wat een gedicht! Ik moest er hard om lachen. Ook om jouw idee van hoe de grotschilderingen gemaakt zijn. Ik zal er een mooie tekening bij maken. Van een Neanderthalertje dat naast een rotstekening neergeknuppeld wordt door zijn moeder in berenvel.
Vandaag is de grote dag. Rosa gaat zichzelf van een rups in een vlinder veranderen.
Volgende week ben ik een avond alleen thuis want mijn moeder en Alexander gaan naar een feestje en dan ben ik voor het eerst officieel babysitter. (Ik verdien er vijf euro mee, zoveel kost een spuitbus ongeveer.)
Ik ga die avond mijn haar paars verven. Ja, je leest het goed: paars, niet goudblond of koperrood, maar hartstikke pimpelpaars. Ik ga eerst vanmiddag samen met Karien naar de kapper om er een hip model in te laten knippen. Daar heb ik wonder boven wonder wél toestemming en zelfs géld voor gekregen. Gelukkig weten ze niet wat ik verder van plan ben.
FREE ME!
Wat kunnen mijn moeder en Apenbil eraan doen? Niks toch

zeker? Ik heb toch al voor eeuwig huisarrest en zakgeld krijg ik ook al lang niet meer. Het zal flinke bonje opleveren, maar dat heb ik ervoor over. En verder ga ik binnenkort nog iets doen, maar dat is een verrassing (die ik heel goed voorbereid heb).
Ik laat wel een pasfoto maken (met jampotdeksel) en dan stuur ik je die op, goed?

Doeideknoei,
Roozzz!

Oppassen!

'Deze kleur is permanent, jongedame, je kunt hem er dus niet uitwassen.'
'Dat is ook precies de bedoeling!' Rosa legt de doos op de toonbank neer. Ze bekijkt zich van alle kanten in de spiegel van de kapper.
Haar haar is kort en piekerig en staat, met behulp van een kilo wax, alle kanten op.
Karien stoot haar aan. 'Het staat je echt cool, hoor! Je ziet eruit alsof je minstens zestien bent.'
Rosa glundert. Ze rekent af en stopt de haarverf in haar rugzak.
'En nu naar de piercingshop,' zegt Karien enthousiast.

'Weet je zeker dat ze het zullen doen?' vraagt Rosa onzeker als ze voor de etalage staan. 'Gaan ze niet zeuren hoe over oud ik ben?'
'Nee, joh! Die jongen is een vriendje van me. Kom op!' Karien trekt haar mee naar binnen.
Even later zit Rosa in een stoel, met buikpijn van de zenuwen. Achter een gordijn waar een andere behandelstoel staat, hoort ze iemand een gil slaken. Ze veert overeind, maar Karien drukt haar terug.
Karien kijkt even stiekem om het hoekje. 'Je wilt niet weten waar die jongen een piercing laat zetten,' fluistert ze giechelend.
'Waar dan? Toch niet door zijn... jeweetwel?'
'Nee, door zijn tepel. En hij heeft een enorme deurmat op zijn borst. En een tattoo met *I love mama!*'
Rosa lacht bleekjes.

– Joh, maak dat je wegkomt, zegt een bange stem in haar hoofd. Dadelijk is de naald waarmee ze prikken niet schoon en krijg je er iets engs van. En stel je voor dat mama en Alexander merken dat het dit keer een echte piercing is in plaats van het nepringetje… wat dan?
– Je blijft zitten, zegt Rooz streng. Denk aan FREE ME! Denk aan de nieuwe Rosa. Je wilt toch niet dat Karien je een schijterd vindt?
'Doe het nou maar,' zegt Karien, die ziet hoe bang Rosa kijkt. 'Je voelt er echt niks van. Het is zo gebeurd! Kijk, daar is Dave al.'
Een grote man met brede, getatoeëerde schouders en gekleed in een korte broek en een wit hemdje komt hun hokje binnen. Hij is voorzien van een hele lading piercings.
'Dave, niet te ruw, hoor,' zegt Karien. 'Ze is een beetje zenuwachtig. Het is haar eerste keer.'
Dave lacht zijn witte tanden bloot en knipoogt. 'Zo meissie, nog nooit gescalpeerd geweest? Het is het allernieuwste, heel cool,' zegt hij met zware stem. 'En je hoeft nooit meer naar de kapper!'
Karien houdt Rosa tegen, die met een bleek gezicht weg probeert te komen. 'Hij maakt maar een grapje, joh! Dat doet hij altijd. Hij jaagt mensen graag de stuipen op het lijf.'
'Zal ik haar vastbinden? En een algehele verdoving?' vraagt Dave en hij laat zijn zwarte ogen rollen.
'Kappen nou!' zegt Karien lachend. 'Ze wil alleen maar een wenkbrauwringetje.'
Dave pakt een plastic zakje waar een lange naald in zit, en een klem. Dan doet hij wegwerphandschoenen aan. 'Zo moppie, even stilzitten nu en op je tanden bijten. Papa is zo klaar,' zegt hij en hij zet de klem op haar wenkbrauw.
Rosa krimpt in elkaar.
'Knijp maar in mijn hand als het pijn doet,' fluistert Karien.
'I-ik…' stottert Rosa angstig als ze de naald dichterbij ziet komen.
'Stilzitten,' zegt Dave streng. 'Anders zit hij dadelijk niet op de goede plek.'
'Au!' gilt Rosa als de naald door haar vel schiet. Een korte, hevige pijn flitst door haar wenkbrauw.
Dave dept met een watje met alcohol het bloed weg en schuift

er in één handbeweging een ringetje doorheen. 'Zo, dat was het dan. Viel het mee?'
'Is het echt helemaal klaar?' vraagt Rosa met een bibberstemmetje.
Dave houdt haar een spiegel voor. 'Ja, tenzij je er nog een ergens anders wilt. Een leuke piercing in je tong of in je navel?'
'Nee... nee, dank je,' zegt Rosa en ze staat op. Haar knieën knikken.
Dave geeft haar een folder en een flesje. 'Hierin zit chloorhexedine, dat is een ontsmettend middel. In de folder staat hoe je je piercing moet verzorgen,' zegt hij. 'Keurig doen wat er staat, moppie, anders gaat het ontsteken en valt je wenkbrauw eraf.' Hij buldert van het lachen om zijn eigen grap.
Rosa knikt met een benauwd gezicht en betaalt. Haar handen trillen en haar wenkbrauw steekt.
'Cool, joh,' zegt Karien bewonderend. 'Je ziet er hartstikke stoer uit zo.'
Plotseling wordt Rosa duizelig en ze moet de toonbank vasthouden om niet te vallen.
'Gaat het?' vraagt Dave ongerust.
Rosa knikt bleekjes.
Karien pakt haar arm vast en neemt haar mee naar buiten. 'Haal even diep adem. Doet het zo'n pijn?'
'Nee, ik heb gewoon honger,' zegt Rosa.
'Zal ik je naar huis brengen?' vraagt Karien.
'Nee, nee het gaat wel. Zie je morgen.' Rosa haalt nog een keer diep adem en stapt op haar fiets. Ze heeft het gedaan!
Als ze thuis is, pakt ze de folder van Dave en ze begint te lezen:

Tips voor het verzorgen van je pasgezette piercing
Een piercing is een open wond die makkelijk geïnfecteerd kan raken. Verzorg hem daarom zorgvuldig.
1. Draag geen strakke kleding over je piercing.
2. Zorg dat je handen schoon zijn als je je piercing aanraakt.
3. Zit er niet te veel aan.
4. Hou je haar uit de buurt van de wond.
5. Als je een piercing in je mond hebt, zoen en vrij dan niet tijdens de genezingsperiode.

6. Was de wond tweemaal per dag met bacteriedodende zeep. Was eerst je handen en dan pas het wondje.
7. Breng daarna een paar druppels chloorhexedine op het wondje aan. Beweeg het sieraad op en neer zodat het ook in het wondje komt. Dit doe je 14 dagen lang. Gooi het flesje daarna weg, want het spul is niet langer houdbaar.
8. Niet zwemmen totdat de wond geheeld is; sporten mag wel, zonnen ook.
9. Als de wond gaat ontsteken, raadpleeg dan meteen een arts!

Rosa van Dijk

Van:	Esther Jacobs <esther@xs42.nl>
Aan:	Rosa van Dijk <rosavandijk@fastmail.com>
Verzonden:	donderdag 10 juni 19.08
Onderwerp:	Chillen

Hoi Rooske,

Ik vind het jammer dat we niet meer zo veel contact hebben. Ik maak me echt een beetje zorgen om je.
Weet je, ik zal je survivaltips voor pubers gaan melen. Misschien vind je het stom, maar wie weet, heb je er iets aan. Ik heb een paar boeken gevonden in de bieb en daar heb ik ze uit gehaald.

Chill-out & cool-down survivaltips
(eerste hulp bij driftbuien)
Als je bloed begint te koken, doe dan het volgende:

1. Probeer je bewust te zijn van HOE je je voelt en daar even bij stil te staan.
Het helpt als je over jezelf denkt in de derde persoon. Dus niet: *ik* voel me bang of boos, maar: *Rosa* voelt zich...
Dat lijkt maf, maar het helpt je om afstand te nemen. Probeer dus als het ware boven jezelf te gaan hangen, en naar jezelf te kijken.
2. Hou je mond dicht en tel langzaam tot tien.

En/of:
3. Adem vijf tellen diep in door je neus, hou je adem twee tellen vast en adem dan langzaam uit.
4. Zeg tegen jezelf: Blijf kalm, blijf kalm... Het gaat voorbij, over een paar minuten voel ik me alweer rustiger.
5. Probeer langzaam en laag in je buik te blijven ademhalen. Als je snel en hoog in je borst ademhaalt, raak je steeds opgefokter.
6. Loop even weg om te kalmeren. Zeg wel tegen de ander waarom je weggaat en dat je weer terugkomt.

Ik heb het laatst geprobeerd. Iemand op school maakte een echte rotopmerking. Ik werd niet kwaad, maar ik moest wel bijna huilen. Het hielp! Vooral doordat ik boven mezelf ging hangen en dacht: o, kijk, Esther voelt zich nu net zoals toen in de Jampotjestijd, in de brugklas. Daarom wordt ze nu verdrietig. Want ze was toen erg eenzaam. Maar nu is het anders.
En toen werd het verdrietige gevoel minder. Eigenlijk moest ik er een beetje om lachen. Het was ook wel een raar gevoel om jezelf als een ander te bekijken.
Tegenwoordig voel ik me niet meer alleen. Ik heb vrienden. En jou natuurlijk! Mijn superallerbeste vriendin in Groningen. (Toch?)
En dan ten slotte:
Als iemand iets vervelends tegen je zegt, denk je toch gewoon wat we vroeger altijd naar elkaar riepen:
Wat je zegt, ben je zelf!
En dat is vaak nog waar ook.

Groeten van dominee Esther

Rosa voelt zich erg schuldig als ze de mail leest. Esther bedoelt het hartstikke goed. En zij maar denken dat ze de enige is die problemen heeft. Esther wordt dus nog steeds gepest op school. Dat wist ze helemaal niet. Gauw terugmailen, neemt ze zich voor.
Met haar vinger raakt ze haar wenkbrauw aan. Het doet nog flink zeer en het wondje klopt.

Maar haar truc is gelukt. Mama en Alexander hebben niet gemerkt dat het nepringetje vervangen is door een echte piercing. Ze kreeg natuurlijk wel een hoop commentaar op haar haar, maar dat had ze wel verwacht.
Haar moeder komt haar kamer binnen. Ze heeft een lange, zwarte jurk aan zonder mouwen en een diepblauwe omslagdoek met geborduurde rozen erop. Haar blonde haar is opgestoken en haar nagels zijn knalrood gelakt. Ze ruikt heerlijk. Ze draait een rondje op haar spitse pumps. 'En, hoe zie ik eruit?'
'Hartstikke mooi,' zegt Rosa een beetje jaloers. Haar moeder heeft massa's kleren en wel twintig paar schoenen. Terwijl zij maar drie paar heeft.
'Waar gaan jullie heen?'
'Naar de première van een Nederlandse film. Ik moet de hoofdrolspelers interviewen. Heel beroemde mensen. En daarna is er champagne met hapjes en een feest.'
'Ik wou dat ik mee kon.'
'Daar ben je nog veel te klein voor, schat.'
Rosa gaat staan. 'Ik ben bijna net zo groot als jij!' zegt ze verontwaardigd. Ze voelt de boosheid alweer omhoogborrelen. 'Je doet net alsof ik nog een baby ben. Je gunt me gewoon niks! Je denkt alleen maar aan je eigen pleziertjes.'
'Toe Rosa, rustig nou,' zegt haar moeder sussend. 'Schreeuw niet zo. Ik heb Abel net met veel moeite in slaap gekregen.'
Rosa doet haar mond open om iets naars terug te zeggen, maar denkt dan opeens aan de tips van Esther. Ze klapt haar mond dicht en telt tot tien. Tegelijkertijd houdt ze haar adem in.
Hoe moest het nou ook alweer?
'Roos, gaat het wel goed met je?' vraagt haar moeder als Rosa rood begint aan te lopen.
Rosa laat haar adem schieten en ploft neer op haar bed. Goed, ze heeft zich ingehouden. Niet gescholden, geen straf.
Op dat moment dendert Alexander de kamer binnen. In zijn handen houdt hij een zwarte trui.
'Heleen, heb je enig idee hoe dit gekomen is? Moet je zien! Een enorme groene vlek! Op mijn dure, nieuwe trui! Ik kan hem wel in de vuilnisbak gooien! Jij bent ook zo slordig met wassen!'

'Even tot tien tellen, Alexander,' zegt Rosa met een grijns. 'Anders ga je dingen zeggen waar je spijt van krijgt.'
Alexander kijkt haar woest aan. 'Brutaal nest!' sist hij. Hij smijt de trui op de grond en stampt de kamer uit.
Haar moeder raapt de trui op. 'Dat heb ik helemaal niet gedaan,' zegt ze verbaasd. Ze wrijft over de vlek. 'Het lijkt wel verf. Wat vreemd...'
Rosa zet met een rood hoofd haar computer aan. Dat is de trui die ze aanhad tijdens het spuiten laatst. Die groene verf is er natuurlijk op gekomen toen ze tegen het elektriciteitskastje viel.
'Nou, gezellige avond, mam. Ik ga mijn huiswerk maken.'
Haar moeder aait haar over haar haar, maar trekt haar hand snel weer terug.
'Jasses, wat voelt dat vies aan, met al die wax of wat het ook is. Was het er maar gauw uit. Ga je op tijd naar bed, schat?'
Rosa zucht en knikt. 'Wanneer zijn jullie thuis?'
'Niet later dan een uur of twaalf. Neem maar een zak chips of zo.'
'Wauw... dank je wel, hoor,' zegt Rosa.

Jonas de Leeuw

Van:	Rosa van Dijk <rosavandijk@fastmail.com>
Aan:	Jonas de Leeuw <jdl@xs22.nl>
Verzonden:	donderdag 10 juni 20.12
Onderwerp:	Metamorvoze (of hoe schrijf je dat)

Hey Joonzie,

Sorry dat ik niet eerder meelde. Ik heb het hartstikke druk gehad de afgelopen week.
Ik ben alleen thuis met Appie-slagroomgebakkie. Ma en Apenbil zijn aan de boemel.
Ik zit te wachten tot de verf (pimpelpaars) ingetrokken is. Duurt 30 minuten.
Vraag me opeens af of ik niet beter een andere kleur had

kunnen nemen. Mijn moeder vermoordt me als ze het morgen ziet.
De jampotdekselpiercing is goed gelukt. Heb er een door mijn onderlip en ook een door mijn bovenlip. Kan ik lekker klepperen.

Zwappies van Rooz

Jonas de Leeuw

Van: Rosa van Dijk <rosavandijk@fastmail.com>
Aan: Jonas de Leeuw <jdl@xs22.nl>
Verzonden: donderdag 10 juni 20.40
Onderwerp: Oeps!

Hoi Joonz,

Appie-gehakkie werd net wakker. Op de een of andere manier is er wat paarse verf in zijn haar terechtgekomen toen ik hem knuffelde. Heb geprobeerd het eruit te wassen, maar hij begon zo hard te krijsen dat ik er maar mee gestopt ben. Nu heeft hij een paarse lok aan de voorkant.
What to do?
Moest zeventien liedjes zingen voor hij weer in slaap viel. De verf zal nu wel ingetrokken zijn. Bij Abeltje ook, helaas.
Oei-oei, Roos zit in de knoei.

Zwoppies van Poppie

Jonas de Leeuw

Van: Rosa van Dijk <rosavandijk@fastmail.com>
Aan: Jonas de Leeuw <jdl@xs22.nl>
Verzonden: donderdag 10 juni 21.31
Onderwerp: Deep Purple

Ben me net lam geschrokken toen ik in de spiegel keek. Kreeg bijna een hartaanval. Mijn haar is nu hartstikke pimpelpaars. Ik moet er nog even aan wennen. Als ik in de spiegel kijk, denk ik: huh! Ben ik dat?
Maar het staat vet wreed cool, hoor. Vooral met die deksels. Heb me ook opgemaakt met mama's make-up. Je kent me niet meer terug.
Ik mezelf ook niet. Jammer dat niemand me kan zien!

Zwippies van Rooz

Rooz, de nieuwe versie

Rosa staat voor de spiegel en bekijkt zichzelf met grote ogen. Er staat een meisje met een bleek gezicht, ze heeft een wipneus, een ringetje in haar wenkbrauw en paars haar dat alle kanten op steekt. Haar lichtblauwe ogen zijn zwart omlijnd en haar lippen knalrood.
'Taterataaa! De nieuwe Rooz is geboren,' zegt ze hardop en ze doet een paar danspasjes op de maat van de muziek.
Ze heeft het gestolen topje aan, een oude spijkerbroek en dure knalrode leren gympen van haar moeder.
Rosa lacht. Wauw, ze heeft het allemaal gedaan! Ze heeft zichzelf opnieuw uitgevonden.
– Jaha, maar als je morgen zo aan het ontbijt verschijnt? fluistert de stem van Rosa. Mama wordt hysterisch als ze je zo ziet. En op school, wat zullen ze daar zeggen?
– Kan me lekker niks schelen! zegt de stem van Rooz terug en ze steekt haar tong uit naar het meisje in de spiegel. Ze zullen me in ieder geval geen doetje meer vinden. Ik denk dat ze me zullen bewonderen. En miss Piggy ben ik ook niet meer. Ze stapt op de weegschaal. Zesenvijftig kilo. Al vier kilo afgevallen. De prijs ervoor is dat ze last van haar maag heeft van het overgeven en dat ze vaak duizelig en rillerig is. Nog twee kilo en dan stopt ze ermee.
Rosa loopt naar haar kamer en kijkt of er mail terug is van Jonas.

Geen berichten. Hij is waarschijnlijk niet thuis. Saai. En er is niks op tv.
Ze gaat in het open raam zitten. Het is een warme avond en de merel zingt in de avondschemer. Tussen de bomen aan de overkant van de straat komt de volle maan op. Rosa zucht. Ze moet sinds de tekenles vaak aan Meyer denken. Aan Samuel. Aan Sam. Aan Moon.
Ze doet haar ogen dicht.
'Roos, ik wil je iets vragen. Maar... maar je moet gewoon nee zeggen als je het niet wilt.'
'Wat dan, Sam?'
'Rosa, je bent zo mooi, ik zou je graag willen schilderen.'
'Bloot?'
Rosa proest het uit. Nog een keer.
'Rosa, ik... wil je alsjeblieft voor mij poseren?'
'Waarom, Sam?'
'Je bent zo mooi. Je blauwe ogen, je mond, je haar. Je prachtige figuur. Ik heb echt nog nooit zo'n beeldschoon meisje als jij ontmoet. Je doet me denken aan een prinses uit de Middeleeuwen. Ik schilder je tussen de ruïnes van een kasteel, met je haar golvend in de wind.'
'Oké, als het maar paars is. Een prinses met paars haar. En met een piercing graag.'
'Die hadden ze toen nog niet. Ik geef je een kroontje met edelstenen... en een prins aan je zij.'
'Jij...' fluistert Rosa. 'Jij bent mijn prins...'
Ze doet haar ogen open en loopt naar de spiegel. Ze bekijkt zichzelf kritisch. Ze ziet er niet echt uit als een romantische prinses. Prinses Punk. Prinses Piggy. Ze steekt haar tong uit.
Zou Sam de nieuwe Rooz leuk vinden? Ze ziet er in ieder geval ouder uit nu. Niet meer als een baby.
Ze pakt de plastic tas met spuitbussen en stalt ze uit op haar bureau. Het zijn gave kleuren en de meeste bussen zitten nog helemaal vol. Wat ontzettend aardig dat hij ze aan haar gegeven heeft. Ze begint te tekenen. Moon...
Dan krijgt ze een idee. Ze kijkt op haar horloge. Elf uur. Over een uur komen haar moeder en Alexander terug.
Ze sluipt naar de kamer van Abeltje toe. Hij ligt opgerold in zijn bedje en slaapt als een roos. Een roos met een paarse pluk haar

op zijn voorhoofd. Vertederd aait ze heel zachtjes over zijn bolle wangetje.
Rosa loopt terug naar haar eigen kamer en stopt de graffitispullen in haar rugzak.
Ze legt een paar kussens onder haar dekbed en pakt een pop van een plank.
Rosa grinnikt. Het is Mimi, haar lievelingspop van vroeger. Ze heeft lang blond haar en blauwe knipogen die niet meer dicht kunnen. Rosa legt de pop in bed en trekt het dekbed over haar heen. Een paar plukken van het haar rangschikt ze op het kussen. Tevreden bekijkt ze het resultaat.

Rosa fietst langs het spoor. De maan staat vol aan de hemel, het is warm en het ruikt heerlijk naar vers gemaaid gras.
Het is een nacht voor avontuur.
- En als Appie nou wakker wordt, wat dan? vraagt een stem in haar hoofd.
- Die wordt niet wakker. In tien minuten kan er niks gebeuren, zegt Rooz terug.
- Maar als mama nou te laat is?
- Die is altijd precies op tijd.
- En als ze merken dat je niet in bed ligt?
- Dat merken ze niet.
- Maar...
- Hou je mond nou maar dicht, watje, zegt Rooz streng.
Rosa haalt diep adem. Ze wordt helemaal dol van die twee stemmen.
Een moet er weg, maar welke? Is ze Rosa, de Rosa die ze altijd was? De slome, verlegen baby-Rosa, saai en zonder vrienden? Of wil ze Rooz zijn, die stoer en brutaal is en alles durft? Die niet steeds in haar schulp kruipt, maar haar mond opentrekt als haar iets niet bevalt? Die bewonderd wordt omdat ze zo dapper is?
Ze heeft zin om te gaan spuiten. Spuiten bij volle maan. Moon... Wat zal Sam verrast zijn als hij zijn oude graffitinaam ergens ziet staan. Maar in háár nieuwe uitvoering.
I love Moon...
Ze wou dat ze wist langs welke route hij naar school fietst. Het zou best kunnen dat hij over deze weg langs het spoor gaat.

Nu nog een geschikt plekje vinden. Dat is best moeilijk, want alle schuttingen en elektriciteitskastjes zijn al bezet.
Rosa remt. Aan de overkant van het spoor staat een vierkant, laag gebouwtje. Ze kan haar ogen niet geloven: pas geschilderd, spierwit en glad. Ze kijkt om zich heen. Niemand te zien. Er zijn geen huizen aan de overkant, alleen een parkje. Ideaal!
Maar dan moet ze wel over de rails heen. Ze heeft de schrik nog in haar lijf van de vorige keer, toen de trein zo dicht langs haar raasde.
Ze wacht even en kijkt goed naar links en rechts. Erg ver kan ze niet zien in het donker. Zal ze, net zoals de Daltons, haar hoofd op de rails leggen om te horen of er een trein aan komt? Beter van niet. Ze legt haar fiets in de struiken, kijkt nog een keer goed en sprint over de rails heen.

Als ze haar spuitbus schudt om te beginnen, hoort ze opeens vlakbij iets ritselen. Uit de struiken naast het gebouw stapt een lange, magere gestalte, met een muts diep over zijn ogen getrokken. Een sigaret bungelt in zijn mondhoek. Hij heeft zijn schouders opgetrokken en zijn handen in de zakken van zijn sweater. Rosa verstijft van schrik.
'Hé, jij daar! Ben je nou helemaal gek geworden?'
Rosa laat haar spuitbus vallen en zet het op een lopen.
Dan stopt ze. Ze kent die stem ergens van. De jongen trekt zijn muts een stukje op. Het is Neuz. Alweer! Ook toevallig. Zou hij haar herkennen?
Rosa laat haar ingehouden adem ontsnappen en raapt snel de spuitbus op.
'Wat ben je plan? Je gaat hier toch zeker niet spuiten?'
'Pfff... ik was hier het eerst, hoor,' zegt Rosa. Ze kijkt hem niet aan en maakt haar stem wat zwaarder dan normaal. 'En ik spuit nergens overheen, dus waar bemoei je je mee.'
Neuz zucht. 'Alweer een meisje. Eerst kom je er nooit een tegen en dan bijna elke dag.'
'Jij bent ook niet erg geëmancipeerd, hè?' zegt Rosa. 'Waarom zouden meisjes geen goeie graffititekeningen kunnen maken?'
'Dat noem je geen tekeningen, maar pieces, of tags. Beginneling zeker?'

HOE
overleef ik
MEZELF?

HOE OVERLEEF ik
SCENE
SLATE
TAKE
42
721
1
NICOLE VAN KILSDONK
DANNY ELSEN
11
DEC
2007

De Film

De Cast

En zo begon het, in juli 2007: de audities.
Vijfduizend kinderen stuurden een aanmeldingsformulier in,
duizend werden er uitgenodigd voor een auditie,
en zes werden er uitgekozen!
Dit is de cast van *Hoe overleef ik mezelf?*!

Appie
(Jesse en Merijn Jansen)

Esther
(Jade Olieberg)

Rosa/Rooz/Roosje
(Jolijn van de Wiel)

Neuz
(Mees Peijnenburg)

Sam Meyer
(Dragan Bakema)

Jonas
(Pascal Tan)

Moeder Rosa
(Janni Goslinga)

Vader Rosa
(Romijn Conen)

Alexander Apenbil
(Stefan de Walle)

En verder doen ook mee:
Floor Arink (als Karien) en
Annemara Post (Edith).

Het Filmverhaal

Het filmverhaal (oftewel: scenario) van *Hoe overleef ik mezelf?* is niet hetzelfde als het verhaal in het boek. De film begint ermee dat Rosa naar Groningen verhuist. Haar moeder heeft al een kindje van Apenbil (Appie) en ze gaat met hem samenwonen. Rosa vindt het verschrikkelijk. Ze kent niemand in Groningen, ze vindt Apenbil stom, en moet afscheid nemen van haar beste vriendin Esther. Hoe gaat ze dat allemaal overleven?

Dag Esther! Dag Rozie!

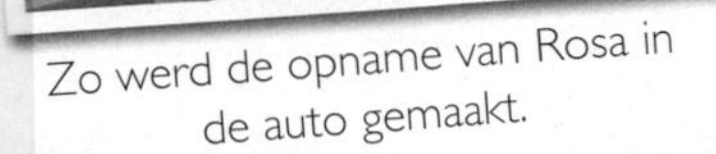

Zo werd de opname van Rosa in de auto gemaakt.

Een stiefvader, blèh!

En veel ruzie…

HOE overleef ik SCHOOL?

Rosa gaat naar het st. Job (oftewel: st. Flop) college in Groningen. Ze kent er niemand en tot overmaat van ramp zitten er een paar pesters bij haar in de klas, die haar uitlachen om haar Brabantse accent.

Rosa voelt zich erg alleen en onzeker.

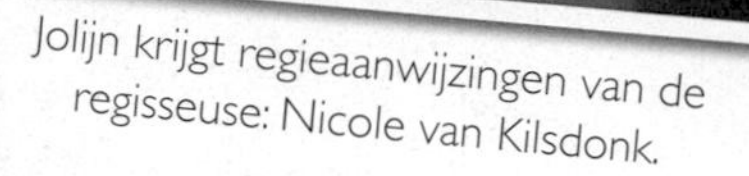

Jolijn krijgt regieaanwijzingen van de regisseuse: Nicole van Kilsdonk.

Er wordt nog even aan Rosa gefrunnikt, voordat de camera weer gaat draaien.

Een buitenopname op het st. Flop. In het echt staat de school niet in Groningen, maar in Den Haag!

Rosa's Kamer

Rosa's kamer is geen echte kamer in het huis dat je in de film ziet. Hij is nagebouwd in de studio. En omdat er steeds heel veel mensen in moesten kunnen voor de opnames, is hij uitschuifbaar!

Rosa showt haar nieuwe topje.
Alleen weet haar moeder niet dat ze het gepikt heeft!

Rosa's kamer opengeschoven.
Binnenin zie je de camera staan.

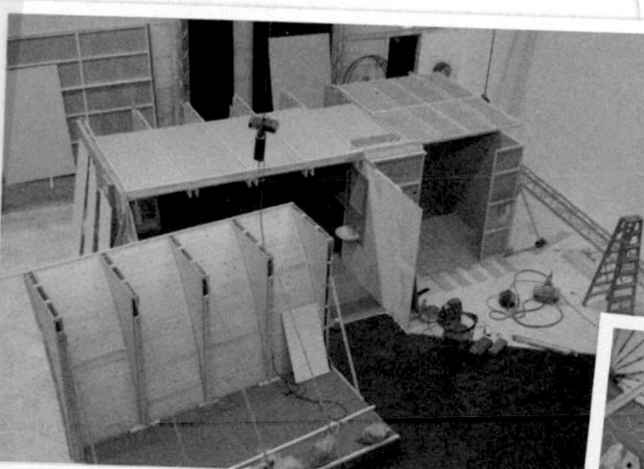

Zo ziet Rosa's kamer er van bovenaf uit.

Rosa's prikbord.
Net echt!

Sam ♥

Rosa's tekenleraar Sam is erg aardig.
Hij begrijpt en troost haar en is ook nog eens heel knap. Rosa wordt verliefd op hem…

Rosa krijgt Sams oude spuitbussen.

Rosa bij Sam thuis.

Gaan ze zoenen?

Oeps. Sam heeft een vriend (gespeeld door Rick Paul van Mulligen). Au, krak!

krak

2 Appie's

Surprise! Er zijn in het echt niet één,
maar twee Abeltjes. Appieflappie wordt gespeeld
door de eeneiige tweeling Jesse en Merijn Jansen.
Heel handig: als de een even een dutje doet,
of een slechte bui heeft, neem je gewoon de andere!

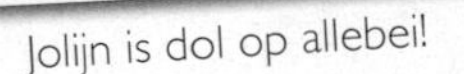

Jolijn is dol op allebei!

Wie nou wie is weten alleen de vader en
moeder van Jesse en Merijn!

Jesse/Merijn wordt vertroeteld door
Kim Oomen (geen familie!).

Francine op de set. Als een kind zo blij
met Appies plastic paard.

Esther

Esther: Rosa's steun en toeverlaat in moeilijke tijden en koningin van de survivaltips!

Jade Olieberg speelt Esther.

Wat moet je nou zonder mobiel?

In het speeltuintje in Den Bosch.

Esther als tv-dominee!
(Ja, Jade kan echt zingen!)

Neuz

Nee, niet Sam is Rosa's grote liefde,
maar Vincent van Gelderen, oftewel Neuz.

Rosa en Neuz, voor de piece die Rosa op het raam van haar school heeft gespoten.

Neuz helpt haar die er weer af te poetsen. Zo'n jongen is het dus!

Samen treinen bespuiten, heel romantisch!

En daarna samen in de cel, nog romantischer!

op de SET

De set is de plek waar gefilmd wordt.
Een gedeelte van de opnames van de film is 'op locatie' gemaakt en een gedeelte in een studio in Amsterdam.

Het huis van Apenbil staat in het echt ook in Groningen. De hele straat staat vol met vrachtwagens van de film!

De brug waar Rosa Neuz voor het eerst ontmoet is niet in Groningen, maar in Amsterdam.

De slaapkamers en de badkamer in Apenbils huis zijn nagebouwd in de studio.

Het speeltuintje dat in de film in Den Bosch is, is in het echt in Haarlem. Om de schommel heen loopt de rails voor de camera.

De Dr. ESTHER Show

In het boek staan een heleboel survivaltips.
Om die in beeld te brengen zijn er in de film
allerlei gekke dingen mee gedaan.
Zoals de dr. Esther show!

Voor de dr. Esther show is een heel decor gebouwd, met allerlei ingewikkelde stellages en publiek!

Jolijn en Jade krijgen aanwijzingen van Nicole.

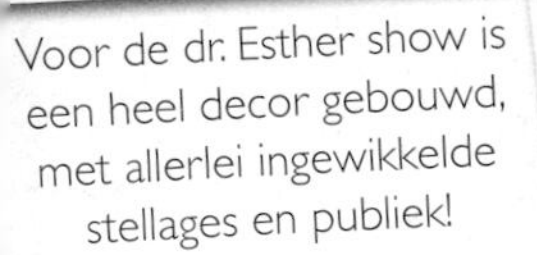

En dat allemaal voor een scène van maar twee of drie minuten!

Esther speelt niet alleen voor dokter, ze is ook een swingende dominee!

Ouders & Apenbillen

Rosa heeft het moeilijk. Haar moeder heeft alleen nog maar aandacht voor haar halfbroertje Appie en die afgrijselijke Apenbil, en haar eigen vader ziet ze veel te weinig.

Rosa blaast stoom af, leve de telefoon.

Maar voor (stief-)ouders van pubers is het ook niet makkelijk!

En uiteindelijk valt hij best mee…

Toch?

Zo zit het in elkaar, in het echte leven en in de film! Het einde van de film is heel anders dan het einde in het boek. Rosa en Neuz worden betrapt met graffiti spuiten en gaan de cel in!

Spannend, op het rangeerterrein, samen met Neuz en een heleboel 'verse' treinen!

Rooz en Neuz is samen…

Zeg nooit je echte naam als je opgepakt wordt!

Oei…

EIND goed, AL goed.

Een film moet wel een happy end hebben…
En dat heeft *Hoe overleef ik mezelf?*!

Hoe overleef je zonder vrienden?

en zonder lieve moeder…

en vader…

en zonder tongzoentips!

Rosa draait zelfverzekerd een andere cap op een spuitbus. 'Helemaal niet.'
'Je hebt wel het goeie merk verf.' Neuz schiet zijn sigaret weg en doet een stap dichterbij.
'Zeg, ken ik jou niet ergens van?'
Rosa schudt haar paarse pieken en gaat verder met de M.
'Pas op!' sist Neuz opeens. 'Daar beweegt wat!'
'Mij hou je niet voor de gek, hoor,' zegt Rosa stoer. 'Jij wilt gewoon hier een piece maken.'
'Een piece zetten, heet dat. Nou, dan moet je het zelf weten, sufferd. Er loopt daar echt iemand. Ik ben pleite.'
Neuz rent weg en springt met grote sprongen over de rails heen. Rosa kijkt in de richting waar hij gewezen heeft. Ze knijpt haar ogen tot spleetjes, want ze kan niet goed in de verte zien. Dan ziet ze inderdaad iets bewegen. Een donkere gestalte... met een hond aan de lijn.
Ze stopt de spuitbus snel terug en holt zonder te kijken het spoor over naar haar fiets. Als ze achterom kijkt, ziet ze dat de man ook rent. Als hij zijn hond maar niet loslaat!
Rosa rukt haar fiets te voorschijn.
'Hé, wacht even, geef mij een lift! Ik heb een lekke band,' roept Neuz. Hij sprint naar haar toe.
'Hij ligt daar verderop in de struiken. Ben door het glas gereden! Shit!' Hij springt achterop. Rosa heeft moeite haar fiets overeind te houden. Ze kan hem nauwelijks houden.
'Die juut neemt hem vast mee. Sneller trappen! Hij heeft de hond losgelaten!' sist Neuz.
Rosa buigt zich voorover en trapt zo hard als ze kan. Haar hart bonst in haar keel en haar wenkbrauw steekt bij elke hobbel in de weg. Achter zich hoort ze de hond blaffen.
'Sneller!' roept Neuz.
Rosa trapt alsof haar leven ervan afhangt. Ze is in een buitenwijk die ze niet kent.
'Welke kant moet ik op?'
'Daar naar links!'
Rosa slingert een bocht om en Neuz moet zich stevig vasthouden om er niet af te vallen.
'Oké, doe nu maar langzamer, we zijn ze kwijt.'

Rosa stopt en stapt hijgend af. Ze wankelt. Neuz pakt haar vast.
'Wat heb jij nou?'
'Slechte conditie,' zegt Roos puffend. 'En jij bent loodzwaar!'
Neuz lacht en trekt zijn muts af. 'Nou, bedankt dat je me gered hebt. Ik sta bij je in het krijt. Normaal redden prinsen prinsessen, maar jij bent geëmancipeerd, dus het is nu omgekeerd.'
Rosa veegt het zweet van haar voorhoofd af. Ze is helemaal buiten adem.
'Sigaretje? Dat helpt.'
Rosa schudt haar hoofd.
Ze observeert Neuz heimelijk als hij zijn sigaret aansteekt. Hij heeft donkerbruin, krullend haar, sproeten en grote, bruine ogen. Als hij lacht, ziet ze dat er een hoekje van zijn linkervoortand af is. Het maakt dat hij er ondeugend uitziet. Maar wel lief. Ze schat hem op een jaar of zestien, zeventien.
'Dat gebouwtje was een val, suffie,' zegt Neuz vriendelijk.
'Een val?'
'Ja, een lokaas voor onervaren graffitispuiters zoals jij.'
'Hebben ze dat muurtje expres wit geschilderd?'
'Ja, en dan gaan ze in de buurt op de loer liggen.'
'Huh, wat flauw,' zegt Rosa. 'Zouden ze die hond echt laten bijten?'
'Ik weet het niet. Ze zijn er wel op afgericht. Reken maar dat je niet meer wegloopt als zo'n beest voor je staat.'
'Jammer,' zegt Rosa. 'Het was een goeie plek...'
'Ik weet een nog veel betere,' zegt Neuz. 'Veel spannender ook. Maar link... Niets voor jou. Hoe heet je eigenlijk?'
Rosa aarzelt even. 'Ik heet Rooz. Met een Z op het eind.'
'Aparte naam. Maar je was toch een M aan het spuiten?'
Rosa bloost. Ze is blij dat ze niet begonnen was met I love...
'Uh... Ik wilde een ander woord spuiten. Mama... I love Mama. Dat is een grapje. Uh... omdat ik steeds ruzie met haar heb... weet je wel?' Rosa begint er helemaal van te stotteren. O, wat een debiele smoes.
Neuz kijkt haar onderzoekend aan, maar begint dan te lachen.
'Wat een maf tiep ben jij.'
'Nou, dank je wel voor het compliment,' zegt Rosa. 'Ik wil best mee naar die goeie plek. Ik ben heus niet bang, hoor. Waar is het?'

'Ik ga naar de treinen op het rangeerterrein, een stuk verderop.'
'En is daar dan geen politie?'
'Vaak wel. Je moet gewoon slimmer en sneller zijn dan zij. Weet je, de spoorwegpolitie is veel linker dan de politie in de stad, maar dat maakt het juist extra spannend. Als de gewone politie je snapt, kun je je er soms nog wel uitkletsen, een vals adresje opgeven en zo. Maar die lui van de NS zijn echt onverbiddelijk. Ze willen hun treintjes mooi schoon houden. Ze stoppen je zonder pardon de bak in als ze je te pakken krijgen.'
'Ja, dat weet ik,' zegt Rosa stoer. 'Vertel mij wat. Is dat bij jou wel eens gebeurd?'
'Nee, hoor. Ik heb al minstens tweehonderd pieces en tags gezet en ik ben nog nooit gesnapt. Goed, hè?'
Rosa knikt bewonderend. Voorzichtig draait ze aan het ringetje in haar wenkbrauw. Au, ze krijgt er kippenvel van. Wat een rotgevoel. Maar het moet, anders groeit het vast.
'Je ziet er anders uit dan de vorige keer,' zegt Neuz. 'Wel cool, hoor, dat haar. En die piercing. Gave gympen ook.'
Rosa schrikt. Ze heeft haar moeders schoenen nog aan. Onder de modder natuurlijk. En er zit verf op.
'Moet je naar huis?'
Rosa schudt haar hoofd.
'Als je wilt, kun je mee. Kun je de grote Neuz aan het werk zien.'
Rosa barst in lachen uit. 'Hoe heet jij in het echt?'
'Saai. Vincent.'
'Helemaal niet saai. Waarom is jouw graffitinaam Neuz?'
Vincent kijkt scheel en wijst naar zijn neus. 'Is hij groot of klein?'
Rosa grinnikt verlegen. 'Uh... middelmatig, zou ik zeggen.'
'Niet waar, jokkebrok. Hij is size XL. Maar ik ben er trots op. Vroeger schaamde ik me ervoor, maar nu niet meer. Ik ben trots op mijn neus. Hij hoort bij mij. Daarom heet ik Neuz. Kan ook niemand me er meer mee plagen. Heb jij iets waar jij je voor schaamt?'
Rosa schrikt van zijn directheid en krijgt voor de zoveelste keer een rood hoofd. Ze haalt haar schouders op en friemelt aan haar paarse plukken.

'Je hoeft niks te zeggen, hoor. Ik ben altijd veel te eerlijk en te direct. Daar heb ik vaak problemen mee.'
Ze zwijgen en kijken naar de maan, terwijl Neuz zijn sigaret rookt. Dan knipt hij hem weg en hij pakt zijn rugzak op. 'Zullen we dan maar samen naar het rangeerterrein gaan? Naar het hol van de leeuw?'
Rosa knikt. De zenuwen vliegen door haar buik.
'Mag ik achterop?'
Rosa kijkt hem aan en aarzelt.
– Dadelijk gaat hij gekke streken uithalen, klinkt het in Rosa's hoofd. Je lijkt wel gek. Om twee uur 's nachts met een onbekende jongen meegaan. Ga naar huis! Morgen zit je te slapen in de klas. En je hebt je Frans niet geleerd!
– Kan mij wat schelen, zegt Rooz' stem. Hij is aardig. Hij doet niks. Hij kan goed spuiten. Ik wil het leren.
– Maar als mama nou ontdekt dat je niet in bed ligt... En die gympen, ze vermoordt me!
– Niks meer aan te doen. Morgen heb ik toch al vette bonje. Bovendien heb ik nu misschien eindelijk een vriend gevonden. Ik vind hem aardig.
'Ik ga mee,' zegt Rooz. 'Op één voorwaarde.'
'En dat is?'
'Jij fietst.'

Jail-meel

Jonas de Leeuw

Van: Rosa van Dijk <rosavandijk@fastmail.com>
Aan: Jonas de Leeuw <jdl@xs22.nl>
Verzonden: vrijdag 11 juni 8.22
Onderwerp: Jail-meel

Hoi Joonz,

Ik ben net uit de gevangenis ontslagen, daarom heb je twee jaar niks meer van mij gehoord.
Ik heb nu een baard en weeg nog maar dertig kilo. Ook zijn al mijn tanden eruit gevallen, zodat ik nu op pap en vanillevla leef.
Jij denkt natuurlijk: die maffe Rosa zit weer eens te raaskallen, maar dat is niet zo. Ik ben bloedserieus.
Ga rustig zitten, sidder en beef. Ik heb echt een nacht in een cel gezeten, samen met Neuz.
Nu zit ik opgesloten op mijn eigen kamer, op water en brood, en mag een halfjaar niet meer naar buiten. Ik heb ijzeren boeien om mijn enkels en ik heb een streepjes-pyjama aan.
Nee, hoor. Mijn moeder en Alexander moeten er alleen nog over nadenken wat voor vreselijke straf ze me nu weer zullen geven.

Dit is wat er gebeurd is: ik ben gisteravond, na het haarverven, ervantussen gegaan. Ik had enorme zin om mijn nieuwe spuitbussen uit te proberen en verveelde me dood in mijn eentje. Daarnaast was het volle maan, wat een heel goede tijd is voor weervolven en voor graffitikunstenaars.
Alex en mama zouden niet later dan twaalf uur thuiskomen en Appie sliep als een roos, dus dat kon geen kwaad. Ik had kussens en een pop in mijn bed gelegd, zodat het net leek alsof ik sliep.
Toen kwam ik Neuz tegen, dat is een hartstikke aardige jongen die ook graffitispuiter is.
Nadat ik hem, en hij mij, gered had van de spoorwegpolitie, inclusief valse herdershond, was hij me zo dankbaar dat ik met hem mee naar het rangeerterrein mocht.
Hij doet al drie jaar aan graffiti en hij kan het echt ontzettend goed.
We gingen een trein bespuiten. Dat is het allergevaarlijkste, maar ook het leukste.
Stel je voor dat die trein door Nederland rijdt en er met prachtige letters op staat: JONAZ IS GREAT! Of een gedicht van jou? Kicken toch?
Neuz was aan het spuiten, en ik mocht helpen en moest tegelijkertijd op de uitkijk staan. Ik moest opletten of er geen politie aankwam, maar ook oppassen voor een stel vervelende jongens dat daar de buurt onveilig maakt. Ze hebben laatst iemand beroofd en in elkaar geslagen, vertelde Neuz. Best eng eigenlijk. Die jongens zag ik gelukkig niet en de politie helaas ook niet op tijd.
Neuz was al bij de Z toen er opeens drie van die dolle honden voor onze neus stonden! We hadden ze helemaal niet horen aankomen en schrokken ons natuurlijk kapot. We durfden ons niet te bewegen. Neuz bleef zelfs met de spuitbus in de lucht staan, omdat hij bang was dat dat beest zijn arm eraf zou bijten als hij hem bewoog. Ik was bang, joh! Ze gromden en hadden van die lange, gele tanden en opgetrokken bovenlippen en rooie, bloeddoorlopen ogen, en hun oren in hun nek.

Toen kwamen er twee kleerkasten van politieagenten aan en die sloegen ons in de boeien. We moesten onze naam en adres opgeven. Neuz had van tevoren gezegd dat, áls we gesnapt zouden worden, ik een vals adres op moest geven, maar ik was zo geschrokken dat ik per ongeluk mijn echte gaf. Toen moesten we in een busje mee naar het bureau. Al onze spuitbussen en caps zijn afgepakt. Wat een dieven!
Ik begon nog een verhaal over grotschilderingen en Neanderthalers, en dat graffiti kunst is, maar ze wilden niet luisteren. We moesten samen in één cel, want het was overbevolkt in de gevangenis.
Dat was best eng, want er zaten al twee dronkelappen in. Ze stonken en zagen er niet uit, met paarse drankneuzen en ondergekotste kleren en zo. Iek!
Toen kregen die twee griezels ruzie over wie er op het bed mocht zitten. Ze begonnen elkaar te meppen en te duwen. Neuz en ik hebben het op een gillen gezet, zodat de bewaking kwam. Maar ze waren te laat, want Neuz had al een blauw oog opgelopen omdat hij de elleboog van een van die wandelende spiritusflessen in zijn gezicht kreeg. Neuz was wel heel dapper, want hij was voor mij gaan staan om me te beschermen.
De zuiplappen werden uit de cel gesleept en wij kregen een lekker kopje automatenthee en een kartonnen broodje voor de schrik. Toen hadden we de cel voor ons alleen en het werd nog heel gezellig. Neuz heeft me van alles over zichzelf verteld. Hij heeft twee broers en een vader die piloot is en zijn moeder is stewardess. Hij is helemaal geen crimineel of zo. Hij zit op het atheneum en zijn hobby's zijn graffiti, tekenen en lezen. Hij kan ook heel goed skateboarden.
Hij maakt altijd foto's van zijn pieces (zo heten graffititekeningen) en hij wil volgend jaar naar de kunstacademie.
Neuz zegt dat de wereld één groot schetsblok is en dat iedereen erin mag tekenen. Goed, hè? Dat vind ik nou ook.
We hebben hartstikke lol gehad en moesten zo hard lachen dat de bewakingsagent kwam kijken of we wel helemaal lekker waren. We hebben de hele nacht niet geslapen.

Toen was de pret afgelopen. Neuz had een vals adres opgegeven, maar ik dus niet.
Ik vroeg me al af waarom mama me niet kwam halen, want ze hadden aangekondigd dat ze mijn ouders gingen bellen. Mijn moeder had dus de telefoonstekker eruit getrokken, dat doet ze wel vaker als ze moe is. Maar om zeven uur ging hij er weer in.
Ja, en toen waren de poppen aan het dansen. De agent die haar belde, zei dat ze onmiddellijk naar het bureau moest komen omdat haar dochter gespoten had. Een kwartier later stonden mijn moeder, Alexander en Appie mét een paarse pluk haar voor de deur van onze cel. Totaaaaal over de rooie natuurlijk. Helemaal driedubbeldoorgedraaid hysterisch.
Ze dachten dat ik drugs gespoten had. Toen ze me zagen, konden ze eerst geen woord uitbrengen. Alexander begon eerst te zeggen: dat is onze dochter niet... HA! Hij herkende me niet eens! (Toen ik thuiskwam, snapte ik waarom, want mijn mascara was uitgelopen, omdat ik toch wel eventjes gehuild had. Ik zag eruit als het monster van Frankenstein, spierwit, met paars haar en met holle, zwarte ogen. Wel interessant, hoor.) Toen mama mijn/haar schoenen zag, kreeg ze er nog een rolberoerte bovenop.
Nou ja, ik werd dus mee naar huis gesleurd. Gelukkig moest ik niet naar de rechter of een boete betalen, omdat het de eerste keer was. Ik kon niet eens afscheid nemen van Neuz en vandaag mag ik (haha) niet naar school. Ik heb echt giga op mijn donder gehad, maar ik heb me er niks van aangetrokken. Woorden doen geen pijn. Alexander had ook nog bijna het ringetje uit mijn wenkbrauw gerukt omdat hij dacht dat het nog een neppo was!
Ai ai, dus dat kwam, naast het pimpelpaarse haar, ook meteen uit. Ze wisten van verbijstering gewoon niet meer wat ze moesten zeggen. (Had ik dat al verteld van die piercing? Deed pijn, joh! Ik ging bijna van mijn sokken. Een grote kerel stak zonder verdoving een enorme naald dwars door mijn wenkbrauw!)

Gelukkig hebben mama en Alexander er nog niet aan gedacht om mijn computer af te pakken, dus ik kan nog met de buitenwereld communiceren.

Groetjes van

Roozie

Stomme koeien

'Jeetje, miss Piggy, ben je in een pot paarse verf gevallen?'
'En moet je die piercing zien. Wat een aanstellerij. Piggy wil ook stoer doen. Ze denkt zeker dat ze heel wat is.'
Rosa staat stil. Toen ze vanmorgen naar school kwam, was ze al vreselijk zenuwachtig en gespannen. Ze had zo gehoopt dat haar klasgenoten haar nieuwe uiterlijk leuk zouden vinden, of in ieder geval een beetje tegen haar op zouden kijken omdat ze dit gedurfd had.
Maar deze reactie had ze niet verwacht.
'Miss Piggy gaat punk! Punky Piggy! Echt geen gezicht!'
Rosa begint tot tien te tellen, maar ze komt niet verder dan drie. Woedend draait ze zich om. 'Hou nou eens op met die flauwekul, stelletje stomme koeien! Ik heb jullie toch niks gedaan, of wel? Hou nou eens op met dat rottige gepest!'
De drie meisjes schrikken. Zo kennen ze Rosa niet. Het middelste meisje herstelt zich snel. Het is Edith.
'Je loopt je aan te stellen met je paarse haar, Brabants tiepje, en daar hebben wij last van.'
'Kijk dan de andere kant op, trut! Dan heb ik ook geen last van jou!' schreeuwt Rosa en ze geeft haar een harde zet.
Edith wankelt en valt achterover met haar hoofd tegen de punt van een verwarming aan. Rosa schrikt, in haar woede heeft ze veel harder geduwd dan ze wilde. Het meisje schreeuwt het uit van pijn.
'Je bloedt, Edith! Er zit een gat in je hoofd!' gilt haar vriendin.
Er komen andere kinderen nieuwsgierig aangelopen. Algauw

staat er een hele kring om Edith heen. Rosa staat buiten de kring. Ze is duizelig en haar hart hamert. Plotseling heeft ze het gevoel dat ze boven zichzelf zweeft. Ze ziet zichzelf staan, helemaal alleen, spierwit, met haar rugzak tegen zich aan geklemd alsof het een reddingsboei is, buiten de kring van kinderen die zich om Edith verdringen.
Ze heeft het gevoel dat ze flauw gaat vallen. Dan pakt iemand haar stevig bij haar arm.
Rosa schrikt hevig. Het is Meyer.
'Wat is er gebeurd, Roos? vraagt hij vriendelijk.
Rosa kan zich niet meer goed houden en barst in tranen uit. 'Z-ze zeiden... dat... Z-ze haten me!' Ze ziet dat een paar andere jongens en meisjes uit haar klas spottend naar haar kijken.
De conciërge komt toegesneld, baant zich een weg tussen de kinderen door en helpt Edith overeind. Hij bekijkt haar hoofd. 'Het valt reuze mee,' zegt hij. 'Klein gaatje maar. Kom even mee naar mijn kamer, dan doen we er ijs op.'
De kring wijkt uiteen om de twee door te laten.
Rosa verbergt haar gezicht in haar handen. Haar schouders schokken van het huilen.
'Ik zou mejuffrouw Van Dijk maar even bij de conrector langsbrengen,' zegt de conciërge met een veelbetekenende blik naar Meyer.
'Stomme miss Piggy,' sist een meisje als ze langsloopt. 'Ik hoop dat je van school getrapt wordt.'
Als Rosa met Meyer meeloopt, ziet ze Karien. Ze staat te praten met de vriendinnen van Edith en werpt haar een koude blik toe.

'Z-ze pesten me zo...' snikt Rosa. 'En i-ik weet niet waarom. Ik ben gewoon anders...Ik zie er anders uit, ik praat anders, ik doe anders... Ik... ik probeer van alles om erbij te horen... maa-maar het is nooit goed. Ik wil niet meer... ik wil niet meer naar school... Ik wil niet naar Hoppert... H-hij...'
Meyer legt zijn hand op haar rug. 'Kalm nou maar. Je hoeft niet naar Hoppert. Je kunt hier blijven zitten tot je weer een beetje rustig bent. Ik heb het volgende uur toch geen les.'
'Ik wel!' snikt Rosa. 'Ik heb... ik heb een proefwerk Frans.'
'Ik loop zo wel even naar Dirks toe om te zeggen dat je niet

kunt komen.' Meyer geeft haar een pakje tissues en aait over haar paarse haar.
Rosa's adem stokt. Hij raakt haar aan! Hij streelt haar haar!
'Wat gebeurde er nou?'
'Ik kon er gewoon niet meer tegen,' snuft Rosa. 'En Karien...' Ze begint weer harder te huilen.
'Wat is er met Karien?'
'Karien was mijn enige vriendin, maar... en... sinds een paar dagen zit ze de hele tijd... b-bij die stomme grieten en doet... en doet ze net alsof ze me niet meer ziet staan... En ik weet helemaal niet wat ik nou fout gedaan heb!'
Meyer zet zijn bril af en wrijft in zijn ogen. 'Ik weet niet of je daar nu zo verdrietig om moet zijn, Rosa. Die Karien is niet helemaal... Hoe moet ik het zeggen... Ik vind haar geen geweldige vriendin voor jou.'
Rosa veegt haar ogen af. De tissue is helemaal zwart van de uitgelopen mascara.
'Aha, ik hoorde dat ze hier was.'
Rosa krimpt in elkaar. Het is de stem van Hoppert.
Ze kijkt hem met roodbehuilde ogen aan.
'Zo, mejuffrouw Van Dijk heeft een gedaanteverwisseling ondergaan, zie ik.' Er klinkt spot in de stem van de conrector. 'Je begrijpt natuurlijk wel dat ik hier een rapport van moet opmaken. Ga maar eens even mee naar mijn kamer, dame.'
'Nee,' zegt Rosa en ze slaat haar handen voor haar gezicht.
'Laat haar maar even, Ed. Ze is nogal overstuur. Ik praat wel met haar,' zegt Meyer.
'Dat is fijn, Samuel, maar ik denk dat de rector Rosa wil spreken. Geweld kan niet getolereerd worden hier op school.'
Rosa springt overeind. 'Pesten dan zeker wel? Daar doen jullie niks aan!'
Hoppert kijkt haar verbaasd aan. 'Woorden doen geen pijn,' zegt hij koeltjes. 'Een gat in je hoofd wel.'
'O, doen woorden geen pijn?' gilt Rosa. 'Denkt u dat? Stomme opgeblazen kwal! Dan snapt u er helemaal niks van!' Ze rent de klas uit, de trap af, de school uit. Weg.

Rosa van Dijk

Van:	Rosa van Dijk <rosavandijk@fastmail.com>
Aan:	Rosa van Dijk <rosavandijk@fastmail.com>
Verzonden:	maandag 14 juni 16.03
Onderwerp:	Me-mail

Rooz,

Ik wil dat je weggaat. Ik ben bang. Ik weet helemaal niet meer wie ik zelf ben.
Ik word gestoord van dat geklets in mijn hoofd.
GA WEG!

Rosa

Rosa van Dijk

Van:	Rosa van Dijk <rosavandijk@fastmail.com>
Aan:	Rosa van Dijk <rosavandijk@fastmail.com>
Verzonden :	maandag 14 juni 16.12
Onderwerp:	Me-mail

Rosa,
Ik kan niet weggaan, want ik ben jou.

Rooz

P.S. Je hebt geld nodig voor nieuwe spuitbussen.

Rosa zucht. Soms is ze bang dat ze gek aan het worden is. Die stemmen in haar hoofd…
Er zijn ook nog echte mailtjes.

Rosa van Dijk

Van: Jonas de Leeuw <jdl@xs22.nl>
Aan: Rosa van Dijk <rosavandijk@fastmail.com>
Verzonden: maandag 14 juni 15.34
Onderwerp: De doorbraak van een dichter

YESYESYES! Heb je het gezien? Ik ben doorgebroken. Ik ben beroemd!! Ik sta erin!
Ze hebben mijn gedicht afgedrukt! YESYESYES!

Jonaz
(1989-....; internationaal bekend dichter, spuiter, schrobber en filosoof)

P.S. Ik heb van mijn zakgeld gisteren twee spuitbussen gekocht. Ik dacht dat mijn vader het wel leuk zou vinden als ik een tekst op de garagedeur zou spuiten, want hij houdt ook veel van gedichten.
Bij het begin van de tweede zin kwam hij thuis van zijn werk. Ik ben mijn hele vrije middag bezig geweest de garagedeur weer schoon te schrobben.

P.P.S. Weet je wat raar is? Sinds mijn gedicht gepubliceerd is en ik dus beroemd ben, heb ik geen dichthoofd meer. Ik denk niet meer in dichtregels, maar met gewone, ouderwetse gedachten. Vannacht heb ik de hele nacht doorgeslapen. Er stond vanmorgen geen enkel gedicht in mijn opschrijfboekje. Vreemd, hè? Ik ben pas bij achtenzeventig en moet er dus nog tweeëntwintig.

P.P.P.S. (Wat betekenen al die p's eigenlijk?)
Hoe vonden ze je nieuwe uiterlijk op school? Ben jij nu ook doorgebroken?

Veel zwapjes van je vriend de Beroemde Dichter

P.P.P.P.S. Was dat echt waar, dat verhaal over de gevangenis?

Heb je echt een nacht opgesloten gezeten? Of zit je me voor de gek te houden. Dan heb ik IV met een boef! Een misdadiger. Een zware crimineel! Wauw! Te gek!

Rosa wrijft in haar ogen. Ze is helemaal leeg gehuild. Doorgebroken, ja, dat kun je wel zeggen. Maar op de verkeerde manier. Wat fijn voor Jonas. Hij klinkt zo gelukkig. En zo... zo kinderlijk blij met dingen. Ze heeft het gevoel dat ze tien jaar ouder is dan hij. Hij maakt zich helemaal geen zorgen over hoe hij overkomt of wie hij is. Hij heeft vast en zeker maar één stem in zijn hoofd. De vrolijke, gekke stem van Jonas de Leeuw.
Er is ook een mail van Esther, gisteren verstuurd. Alweer een, en nog steeds niet teruggeschreven.

Rosa van Dijk

Van:	Esther Jacobs <esther@xs42.nl>
Aan:	Rosa van Dijk <rosavandijk@fastmail.com>
Verzonden:	zondag 13 juni 21.11
Onderwerp:	Tips voor moeilijk opvoedbare ouders

Hoi Rooske,

Je zult het wel te druk hebben met school of zo, omdat je steeds maar niet terugschrijft. Niet erg, hoor. Echte vriendinnen kunnen wel tegen een beetje melige stilte.
Gaat het goed met je?
Met mij wel. Ik ben voor het eerst van mijn leven uitgevraagd door een jongen. Hij heet Wiebe en we gaan – lach niet – bowlen. Hij is jeugdkampioen bowlen van Noord-Brabant, hoe vind je die?
Ik heb nog wat tips voor je gevonden. Hier komen ze:

Survivaltips voor moeilijk opvoedbare ouders
(Dingen die ouders niet moeten doen)
1. Ouders moeten geen bevelen geven of proberen hun kinderen de wet voor te schrijven.

Dat wekt alleen maar boosheid en verzet op. Overleg werkt veel beter.
2. Waarschuwingen, vermaningen & bedreigingen werken ook niet. Kinderen gaan dan juist dingen uitproberen.
3. Preken werken averechts en gaan meestal het ene oor in en het andere uit. Gaaap!
4. Geef niet te veel Goede Raad, oplossingen en adviezen, anders leert een kind nooit zijn eigen boontjes te doppen. Het krijgt dan ook geen kans initiatieven te ontwikkelen en zelfstandig te worden.
Iedereen doet de dingen op zijn eigen manier. (Ieder kind heeft recht op zijn eigen foute keuzes. Ha! Goeie, hè? Heb ik net zelf bedacht.)
5. Oordelen, bekritiseren, beschuldigen is allemaal heel slecht voor het zelfvertrouwen van kinderen. Ze krijgen er een minderwaardigheidscomplex van.
6. Negatieve kritiek lokt tegenkritiek uit.
7. Zoals de ouders het kind beoordelen, zo zal het kind zichzelf gaan beoordelen. Als je zegt dat iemand slecht is, zal hij/zij dat zelf ook gaan denken. En dat zorgt voor een minderwaardigheidscomplex en onzekerheid.
Kinderen gaan dingen geheimhouden voor hun ouders, uit angst voor kritiek.
8. Straffen helpt niet, het maakt kinderen alleen maar boos en haatdragend.

Ik hoop dat je deze tips weer niet te oma-Estherig vindt. Volgens mij moeten ouders ook opgevoed worden. Zij zijn heus niet perfect.
Mijn moeder zit mij bijvoorbeeld altijd (zogenaamd) goede raad te geven. Ik word daar echt ziek van. Alsof ik het zelf niet weet. Dat komt, denk ik, doordat ik enig kind ben en ze me tegen van alles en nog wat wil beschermen. Ik krijg altijd de neiging om die dingen dan juist wél te doen. Ze zegt bijvoorbeeld dat ik absoluut geen alcohol moet gaan drinken voor ik achttien ben, omdat het je hersencellen kapotmaakt. Terwijl ze zelf elke avond een halve fles wijn bij het eten drinkt! Ze heeft vast niet veel hersens meer over onderhand.

Ik heb bij het bowlen een biertje gedronken met Wiebe. Ik vond het enorm smerig en moest er de hele tijd vieze boeren van laten. Het kwam een keer zelfs bijna mijn neus weer uit! Ook ging de bal de hele tijd scheef over de banen van andere mensen heen, maar dat kwam misschien meer door mij dan door het bier. Ik kon er niks van, maar heb slap gelegen van het lachen. Wiebe vond het niet grappig. Vooral niet toen ik een bal op zijn voet liet vallen. Hij heeft me dan ook niet gezoend toen we afscheid namen. Des te beter, want wat moet je nou met een jongen met wie je geen lol kunt hebben? Beter een meelbal dan een bowlingbal.

Schrijf je nog eens terug?
Groetjes van Es-aan-de-fles

Rosa grijnst. Esther klinkt wel een beetje als een oma, maar ze bedoelt het hartstikke goed.
En hoewel zij niks meer van zich laat horen, blijft ze schrijven. Ze zou die survivaltips voor ouders eigenlijk aan haar moeder en Alexander moeten laten lezen. Maar dat durft ze niet. Ze neemt de punten nog eens door. Preken, beschuldigen, bedreigen, oordelen, dat doen ze allemaal. En inderdaad, veel zelfvertrouwen heeft ze niet meer. En onzeker is ze de hele tijd.
Zou het misschien dan toch niet alleen aan haar liggen? Zouden haar ouders ook dingen fout doen? Maar ze geven haar overal de schuld van. En als dit dingen zijn hoe het níét moet, hoe moet het dan wél?
Rosa moet er weer van huilen. Ze is doodmoe en heeft keelpijn. Ze gaat naar de badkamer, kleedt zich uit en gaat op de weegschaal staan. Vijfenvijftig kilo. Vijf kilo afgevallen. Rosa kijkt in de grote spiegel en knijpt in het vel van haar buik en van haar heupen. Ze is nog steeds hartstikke dik. Er moet nog veel meer af.
Ze loopt naar de wc en stopt kokhalzend haar vinger in haar keel. Net goed. Ze moet slank en mooi worden. Miss Piggy moet dood.
Rosa zet de douche aan en laat het hete water op haar hoofd neerkletteren.

De stemmen van Alexander en haar moeder snerpen door haar hoofd.
Je bent onverantwoordelijk en onbetrouwbaar! Je zegt wel dat je groot bent, maar kijk nou eens wat een stomme streken je uithaalt! We kunnen je nooit meer vertrouwen! En hoe kwam je aan die spuitbussen? Heb je geld gestolen? Je groeit op voor galg en rad! Wat moeten we met je? Je bent slecht! Geen zakgeld, huisarrest, geen tv meer de komende tijd. En je discman inleveren. En dat kleedgeld kun je ook wel vergeten!
Rosa rilt. Ze zet het water nog heter, zodat haar huid helemaal rood wordt.
Ze haat zichzelf. Iedereen haat haar. En vanavond zal Hoppert ook wel opbellen. Wat moet ze nou doen?

Als Rosa bijna slaapt, stormt Alexander woedend de kamer binnen. Vlak voor het bed blijft hij staan. 'Doe maar niet net of je slaapt, Rosa. Je weet heel goed waar het over gaat. Je hebt gevochten op school. Het meisje moest naar de EHBO! Waar ben je in hemelsnaam mee bezig?'
Rosa is te uitgeput om ertegenin te gaan. Haar hoofd bonkt. 'Ik... m-maar dat meisje...Ik deed het niet...'
Alexander valt haar in de rede. 'Smoesjes. Ik wil het helemaal niet horen ook. Ik haal morgen je computer van je kamer af.'
Rosa komt geschrokken overeind. 'M-maar...ik...'
'Geen gemaar. Je moeder zit beneden te huilen. Ze is wanhopig. Je moet nu maar eens weten dat het afgelopen moet zijn met dat onmogelijke gedrag van je.' Alexander loopt weg en trekt de deur met een klap achter zich dicht.

Jonas de Leeuw

Van:	Rosa van Dijk <rosavandijk@fastmail.com>
Aan:	Jonas de Leeuw <jdl@xs22.nl>
Verzonden:	maandag 14 juni 23.29
Onderwerp:	Gemeen, gemeen!

Lieve Joni-macaroni,

Ik kan voorlopig niet meer mailen, want mijn computer wordt morgen afgepakt. Dat is de straf die ze bedacht hebben.
Ik ben zo loeikwaad dat ik niet meer weet wat ik moet doen. Ze luisteren niet eens naar mijn kant van het verhaal, dat vind ik nog het ergste. Ze gaan er gewoon van uit dat het allemaal mijn schuld is. Alles gaat verkeerd. Ik wou dat ik dood was.
Ik mag ook niet bellen.
Doei,

Rooz

P.S. Ik heb je gedicht zien staan. Ik ben heel trots op je. Gefeliciteerd.

P.P.S. Dat van de gevangenis was dus echt waar.

Esther Jacobs

Van:	Rosa van Dijk <rosavandijk@fastmail.com>
Aan:	Esther Jacobs <esther@xs42.nl>
Verzonden:	maandag 14 juni 23.56
Onderwerp:	Tips voor wanhopige kinderen

Lieve Es,

Sorry dat ik zo lang niks meer van me heb laten horen. De komende tijd hoef je ook geen meels te verwachten, want mijn computer wordt voor straf afgepakt.

Mijn moeder en Apenbil hebben helemaal niet door dat zijzelf ook dingen fout doen, ze geven mij de schuld van alles.
Heb je misschien ook tips hoe het wél moet? Die kan ik goed gebruiken, want ik weet het echt niet meer.
Natuurlijk ben ik je vriendin nog, hoor, en ik ben hartstikke blij dat je me blijft schrijven, ook al schrijf ik zo weinig terug. Alles is gewoon zo moeilijk de laatste tijd.

Veel liefs van Roos

P.S. Ik bedenk opeens dat ik ook kan proberen mijn mail op te halen op de computer van de bibliotheek. Misschien lukt dat.

No fear

Rosa zit in de bibliotheek. Ze zou eigenlijk op school moeten zitten, maar ze had niet de moed om te gaan. Het is dinsdag, vanmiddag tekenles. Als ze durft te gaan. Ze heeft het koud, hoewel het een warme dag is. Haar vingers trillen boven het toetsenbord. Ze heeft de hele ochtend door de stad en daarna langs het spoor gelopen, om naar graffiti te kijken.
Ze kan alleen maar aan Meyer denken. Met elke stap die ze doet, dreunt zijn naam door haar hoofd. Sam. Moon. Hij is de enige die haar begrijpt.
Rosa's voorhoofd voelt warm en klam aan. Koorts waarschijnlijk. Ze wilde vanmorgen thuisblijven, maar haar moeder geloofde haar niet. Die dacht dat het een smoes was, omdat ze niet naar school durfde.
Het is heel rustig in de bibliotheek. Rosa heeft al drie tijdschriften gelezen, zes boeken uitgezocht en nu probeert ze haar fastmail-account te openen. Maar het lukt niet.
Voor het eerst kijkt ze uit naar de survivaltips van Esther. Misschien kan zij haar helpen met dingen te veranderen. Zichzelf te veranderen, maar op een goede manier. Alles wat ze tot nu toe probeerde, ging fout.
- Watje, zegt de stem van Rooz in haar hoofd. Waarom zou je je best doen? Iedereen loopt toch maar op je te schelden.
- Maar het moet toch ook anders kunnen? Ik word hier gek van.

- Loop dan weg.
- Waarheen? Waar zou ik naartoe moeten? En wat lost het op?
- Je pikt een creditcard en gaat naar Hawaii.
- Haha, alsof dat zomaar gaat.
- Dan ga je in een kraakpand wonen. Dat doen wel meer kinderen.
- Ik ben pas veertien, hoor. En zeker lekker tussen de krakkerlakken.
- Je hebt toch ook nog een vader?
- Die ziet me aankomen. Hij laat bijna nooit iets van zich horen. Hij geeft niks om mij. Hij heeft het te druk met zijn nieuwe vriendin. Die is belangrijker dan ik. Ik kan stikken.

Rosa legt haar hoofd op het toetsenbord en huilt.
'Hé Rooz! Ik herkende je al van verre met dat paarse koppie!'
Rosa kijkt verrast op. Neuz komt naar haar toegelopen. Gauw boent ze haar tranen weg en probeert vrolijk te kijken. Hij draagt een heel wijde skatebroek, waarvan het kruis bijna op zijn knieën hangt, en een T-shirt waar met graffitiletters NO FEAR op gespoten is. Hij ziet er leuk uit. Zelfs met die gekke neus. Of misschien juist daardoor. Het maakt hem bijzonder.
'Wat doe je hier?' vraagt Neuz.
'Dat kan ik ook aan jou vragen. Ben je aan het spijbelen?'
Neuz schudt zijn hoofd en trekt er een stoel bij. 'Ik heb op dinsdag maar zes uur. Ik ga wel vaker naar de bibliotheek. Ik heb thuis geen computer en er zijn hartstikke toffe graffitisites op internet. En veel tijdschriften.' Hij bekijkt haar onderzoekend. 'Is er iets met je? Je ziet er belabberd uit.'
Rosa woelt verlegen door haar haar. 'Griepje of zo. Voel me niet zo lekker.'
Neuz klopt haar met een brede grijns op haar schouder. 'Tof dat ik je hier zie. Ik wist je telefoonnummer niet. En je adres heb ik helaas niet onthouden, toen op het politiebureau. Ik wilde je best nog eens zien.'
Rosa friemelt verlegen aan het ringetje in haar wenkbrauw. Ze merkt dat zij het ook heel leuk vindt hem weer te zien. Maar ze durft het niet te zeggen. Doordat ze zich niet lekker voelt, is de brutale Rooz heel stil in haar hoofd.

‘Gaaf T-shirt heb je aan,’ zegt ze ten slotte. ‘No fear. Geen angst. Goeie tekst. Heb je hem zelf gemaakt?’
Neuz knikt trots. ‘Jep. Het blijft zelfs zitten in de was.’
‘Heb jij die tekst ook in de stad gespoten? Ik zie hem wel vaker staan.’
Neuz knikt.
‘Waarom NO FEAR?’
‘Omdat we allemaal bang zijn. Alle mensen zijn bang. Ergens voor. Voor elkaar, voor onszelf. Bang dat we niet goed genoeg zijn.’
‘Je klinkt als een opa.’
Neuz bloost. ‘Ik denk gewoon na, over het leven. Denk jij nooit na over hoe de dingen in elkaar zitten?’
Rosa draait haar hoofd af. Er komen weer tranen in haar ogen. ‘Jawel. De hele tijd. Maar ik snap er niks van. Ik doe alles fout. Ik ben gewoon dom. En stom.’
‘Niet waar. Dat mag je niet van jezelf zeggen. Je bent bang dat je dom bent. Zie je wel: NO FEAR!’
Rosa veegt snel een traan weg. ‘Ik zal het proberen.’
Het is even stil. Neuz draait een sjekkie, maar stopt het dan weer terug in het pakje.
Rosa schraapt verlegen haar keel. ‘Heb... heb jij nog gedonder met je ouders gehad?’
‘Nop, ik heb tegen de politie gezegd dat ik niet meer thuis woon en heb het adres van een kraakpand van een vriend opgegeven. Ze hebben me met een waarschuwing laten gaan. Zonde van de spuitbussen, hè?’
Rosa knikt. ‘Nou, hartstikke gemeen. Politieagenten mogen wel dingen pikken.’
Neuz buigt zich naar haar toe. ‘Zeg, ik ga vanavond een heel groot piece zetten op het industrieterrein. Heb je zin om mee te gaan?’
‘Ik heb geen spuitbussen meer.’
‘Je mag de mijne gebruiken. Ik heb nieuwe gekocht. Ben jij mijn assistent, goed?’
Rosa bloost. Neuz is aardig. Ze wil graag leren hoe het moet. En het is gezellig om met hem op stap te gaan. Ze hoest.
‘Ben je er niet te ziek voor?’ vraagt Neuz bezorgd.
‘Nee, hoor. Het gaat best.’

je wegkomen?'
weet het niet. Ik moet meteen uit school naar huis. Ik heb huisarrest voor de komende eeuw.'
'Regenpijpje?'
'Wat?'
'Dat doe ik altijd. Ik klim uit mijn raam via de regenpijp. Makkie.'
Rosa denkt na. 'Mijn kamer is op zolder, hartstikke hoog. Ik kan beter proberen weg te sluipen als iedereen slaapt. Dat is meestal na twaalven.'
Neuz grijnst breed en geeft haar een vriendelijke stomp. 'Geef je adres maar, dan kom ik je ophalen.'
'Heb je je fiets dan terug?'
'Ik had mazzel. Hij lag er nog. Ik heb de band geplakt.'
'Ik wil best je assistent zijn, Neuz, maar wil jij mij dan helpen mijn mail op te halen? Het lukt me van geen kanten.'
Neuz knikt verheugd. 'Tuurlijk, makkie voor Super-compuneuz!'

Rosa van Dijk

Van:	Esther Jacobs <esther@xs42.nl
Aan:	Rosa van Dijk <rosavandijk@fastmail.com>
Verzonden:	dinsdag 15 juni 7.15
Onderwerp:	Nog meer tipz

Hoi Rosemiepje,

Wat naar dat je je zo rot voelt. Je kunt me echt altijd alles vertellen, hoor.
Ik heb gauw de survivaltips voor hoe het wél kan voor je opgezocht. Ik heb ze ook aan mijn moeder gegeven. Ze werd helemaal niet kwaad, maar vond het juist goed. Nu gaat ze dat boek lezen waar ik ze uit gehaald heb. Hier komen ze:

Survivaltips om geen ruzie te maken
1. Als er een conflict is, bepaal dan eerst wie eigenlijk een probleem heeft.

Als jij bijvoorbeeld een doorkijkbloes aan wilt en dat mag niet van je moeder, van wie is het probleem dan? Van jou, juist (haha).
Maar als jij al je rotzooi laat slingeren in de woonkamer, is dat het probleem van je moeder of van Apenbil en mogen zij daar dus iets van zeggen.
2. Praat op tijd over wat je dwarszit en krop het niet op. Als je dat wel doet, klinkt het meestal veel erger dan je bedoelt en krijg je ruzie.
3. Timing! Probeer over moeilijke dingen te praten op een gunstig moment, dus niet als je al boos bent. Als de rook al uit je moeders oren komt, kun je beter niet om verhoging van zakgeld vragen.
4. Luister naar elkaar. Laat de ander rustig uitpraten.
5. Luister ook goed naar je eigen gevoel. Doe niet net alsof je het ergens mee eens bent als dat eigenlijk niet zo is, want dat schiet niet op.
6. Als je het kunt, zeg dan eerlijk tegen de ander hoe je je voelt. Bijvoorbeeld: ik voel me bang/onzeker/stom/woedend...
7. Neem een time-out als een van de twee, of iedereen te opgewonden wordt. Tel allebei rustig tot tien (of honderd) of ga even ergens anders staan. Of ren een rondje om het huis.
8. Geef altijd ik-boodschappen. Maak dus geen beschuldigingen of verwijten.
Zeg dus niet: 'Jij bent een sloddervos omdat je je rommel achter je laat slingeren.'
Maar: 'Ik vind het niet fijn om mijn nek te breken over jouw rollerskates die onder aan de trap liggen.'

Tips voor het oplossen van een conflict
1. Omschrijf het probleem (rustig blijven, niet schreeuwen, niet elkaar de kop inslaan).
2. Wat zijn de mogelijke oplossingen die voor beide partijen acceptabel zijn?
3. Overleg gezamenlijk wat de beste oplossing is.
4. Bedenk hoe en wanneer de oplossing uitgevoerd kan worden.

ıaderhand na of de oplossing gewerkt heeft.
ɔ. Stel bij als het nodig is.

Nou Roosje, hopelijk heb je er wat aan. Proberen kan altijd, toch?
Ik wou dat we dichter bij elkaar woonden, zodat we elkaar wat vaker konden zien. Ik hoop dat je deze meel in de bibliotheek hebt kunnen openen.
Sterkte met alles!

Groetjes van Eszeur

Rosa van Dijk

Van:	Jonas de Leeuw <jdl@xs22.nl >
Aan:	Rosa van Dijk <rosavandijk@fastmail.com>
Verzonden:	maandag 14 juni 23.27
Onderwerp:	Help!

Hoi Rozie,

Ik heb de *VPRO-gids* mee naar school genomen om te laten zien.
Ik kreeg meteen sjans met een heleboel meisjes. Een meisje vroeg zelfs of ik ook een gedicht voor haar wilde schrijven!
Zelfs Aisha vond het mooi!
Meisjes vinden dichters interessant. Ik heb een goed beroep gekozen. Ik ben plotseling heel populair.
Heb nog geprobeerd te schrijven, maar het lukte van geen kanten. Er kwam geen woord op papier. Ik begin te vrezen voor een writers-blok, of hoe dat ook heet.
Help!

Groetz van Jonaz

Rosa is klaar met het lezen van haar mail en zet de computer uit. Ze heeft geen zin om nu terug te schrijven.

Neuz kijkt op uit zijn tijdschrift. 'Leuke post?'
Rosa knikt. 'Ik heb een vriendin in Den Bosch waar ik regelmatig mee mail. En een vriendje in Zuid-Limburg. Hij heet Jonas en hij schrijft gedichten.'
Neuz trekt zijn wenkbrauw op. 'Een vriendje, een dichter nog wel. Heb je iets met hem?'
Rosa bloost. 'Nee, hoor. We kennen elkaar al heel lang. Hij is mijn beste vriendinnetje, zeg ik altijd. Ik kan alles tegen hem zeggen en we hebben altijd veel lol samen. We zeggen wel eens voor de grap dat we IV hebben, Internet Verkering, maar het is eigenlijk meer Innige Vriendschap.'
'O, gelukkig.'
Rosa ziet tot haar verbazing dat Neuz ook een rood hoofd heeft. Hij staat op en zet het tijdschrift terug.
Ze kijkt op haar horloge en schrikt. Halftwee, ze is haar tekenles helemaal vergeten. En daar wil ze absoluut wel naartoe. Ze wil Sam zien. Bij hem zijn. Met hem praten. Naar hem kijken. Het kriebelt in haar maag.
Ze springt overeind en pakt haar boeken bij elkaar. 'Ik moet gaan, ik heb tekenles.'
'Wauw, leuk. Ik ga ook naar huis. Ik zie je vannacht, om halfeen!'

Stemmen in je hoofd

Rosa staat achter een schildersezel met een kwast in haar hand. Naast haar staat een grote spiegel. Ze heeft als opdracht een zelfportret tekenen.
Ze durft zich niet te bewegen. Biertje zit op haar hoofd.
'Lukt het?' vraagt Sam vanachter zijn eigen ezel.
'Ja,' zegt Rosa zonder haar hoofd te bewegen. 'Het schilderij gaat heten: Meisje met blauwe parkiet en paars haar... Hatsjie!'
Weg is de vogel.
Samuel staat op, veegt zijn kwast af aan zijn broek en bekijkt wat ze geschilderd heeft. 'Mmm... niet gek,' zegt hij lachend. 'Biertje lijkt sprekend.'
'Ik iets minder,' zegt Rosa. 'Dat haar is raar.' Verlegen trekt ze aan haar paarse plukken.
Als Sam zo dichtbij staat, krijgt ze buikpijn van de zenuwen en gaat haar stem trillen. Ze hoopt maar dat hij het niet merkt. Maar het is ook een fijn gevoel. Spannend en opwindend.
'Ik vind je haar cool,' zegt Sam en hij schenkt een glas thee in. 'Ik heb het vroeger op school een tijdje lichtblauw gehad. En ook wel eens helemaal kaal. Stuk chocola?'

Rosa knikt en schudt meteen daarop haar hoofd. Ze moet aan haar lijn denken.
'Je doet toch niet aan de lijn, hè? Je bent flink afgevallen volgens mij.'
Verschrikt schudt Rosa nog een keer haar hoofd. Ze smoort een hoestbui in de lap die ze heeft gekregen om haar penseel aan af te vegen.
'Je moet je portret bijwerken,' zegt Sam met een grijns en hij tikt op zijn neus. Rosa kijkt gauw in de spiegel. Er zit een groene vlek op de hare.
'Ga eens zitten, Roos, we houden pauze. En ik wil even met je praten.'
Rosa's hart slaat een slag over. Zou hij...
'Je bent vandaag niet op school geweest, hè?'
Rosa's gezicht betrekt. 'Nee. Ik heb gespijbeld.'
'Waar was je?'
'Gewoon, door de stad gelopen, en in de bieb.'
'Waren je ouders kwaad toen ze hoorden wat er gebeurd was?'
'Ja, hartstikke. Mijn ouders zijn gescheiden. Ik woon bij mijn moeder. En ik heb een stomme stiefvader.'
'Kun je niet met hem overweg?'
'Nee,' zegt Rosa stug. 'Apenbil is een bemoeial.'
'Apenbil?' vraagt Sam lachend.
'Ja, zo noem ik hem. Alexander Apenbil. Hij heeft overal haar. Ook op zijn billen. Hij is hartstikke streng en hij luistert nooit naar me. Mama is helemaal veranderd sinds hij bij ons woont. Ze heeft ook helemaal geen tijd meer voor me... en... ik krijg alsmaar straf en ik mag niks en...' Rosa kan zich niet meer inhouden. Het hele verhaal stroomt eruit. Alleen vertelt ze niet van het overgeven en van de stemmen in haar hoofd. Dat is haar geheim. Daar schaamt ze zich te veel over.
Sam moet hard lachen om haar verhaal over de nacht in de gevangenis, met Neuz.
'Ik ben ook twee keer gepakt.'
'En toen?'
'Ik was zeventien. De eerste keer kreeg ik alleen maar een preek en een waarschuwing. De tweede keer moest ik naar bureau

Halt. Dat is een soort opvangplek voor jonge mensen die zich niet aan de regels gehouden hebben.'
'En wat deden ze daar met u?'
'Met jou,' verbetert Sam haar. 'Ik kreeg een taakstraf. Ik moest vier zaterdagen papiertjes prikken in het park. Maar dat was helemaal niet erg, het was eigenlijk het grootste geluk in mijn leven.'
'Hè? Hoezo?'
'Omdat ik op de laatste zaterdag Joost in het park ontmoette. Hij was daar aan het skaten.'
Rosa kijkt hem niet-begrijpend aan. 'Joost?'
Sam kijkt haar recht in haar ogen. Rosa's handen worden er klam van en de vlinders buitelen door haar maag. Zijn ogen zijn zo blauw en hij kijkt zo lief naar haar.
'Weet je, Rosa, ik ben homo. Ik val niet op meisjes, maar op jongens. Maar daar durfde ik toen nog niet voor uit te komen. En ik wist het ook nog niet zeker. Ik had ook wel eens iets met een meisje gehad. Maar toen ik Joost ontmoette... toen twijfelde ik niet meer.'
Rosa hapt naar adem. Ze kijkt sprakeloos naar haar handen, die vol met verf zitten.
Sam staart naar buiten. 'Gek, hè, dat dingen die in eerste instantie een ramp lijken, juist heel anders kunnen uitpakken. Joost en ik zijn drie jaar lang samen heel gelukkig geweest...'
Rosa luistert niet meer. Ze wil niks meer horen. Ze is verbijsterd. Dit had ze totaal niet verwacht.
Meyer is homo. Hij zal dus nooit... Hij is niet... niet voor haar.
Er druppelt een traan langs haar wang.
'Hé Roos, wat is er nou?'
Rosa schudt zijn hand van haar schouder en staat op. Ruw wrijft ze de tranen weg. 'Niks, er is niks. Ik ben gewoon moe en ik voel me niet lekker. Ik... ik ga naar huis.'
Sam staat ook op. 'Roos, wil je dat ik eens met je moeder ga praten? En met Apenbil?'
Rosa schudt haar hoofd. 'Nee, dat hoeft niet, ik... ik red het zelf wel. Ik heb niemand nodig.'
Als ze bij de deur staat, houdt hij haar tegen. Met twee handen pakt hij haar schouders vast. Rosa probeert zijn doordringende blik te ontwijken.

'Roos, je bent een hartstikke leuk en bijzonder meisje. Met heel veel talent. En... en je moet één ding goed onthouden: je hoeft het niet alleen te doen. Je kunt altijd om hulp vragen. Je kunt altijd bij me terecht als je problemen hebt. Daar zijn vrienden voor.'
Rosa slikt een brok in haar keel weg en trekt zich los. 'Ik... ik zal het onthouden,' zegt ze met een door tranen verstikte stem en ze rent de deur uit, achtentwintig trappen naar beneden.

Rosa staat op de weegschaal. Vierenvijftig kilo. Maar ze vindt zichzelf nog steeds te dik.
Mama zit alsmaar te zeuren dat ze zo mager wordt, maar omdat ze aan tafel gewoon eet, heeft ze niet door dat ze aan het lijnen is.
Ze is doodmoe en snotterig. Eigenlijk wil ze het liefst naar bed en heel, heel lang slapen. Slapen en alles vergeten.
- Maar dat doe je niet, zegt Rooz in haar hoofd streng. Je hebt een afspraak met Neuz. Hij komt je straks halen.
- Ik ben zo moe...
- Een beetje afleiding is goed. Dan kom je tenminste over Meyer heen.
- Dat kom ik nooit...
- Ach, flauwekul. Meyer was toch veel te oud. Wat moet je nou met een leraar?
Rosa zucht. De stem van Rooz in haar hoofd heeft ook wel eens gelijk. Ze niest en rilt.
- Kom, doe een dikke trui aan en niet zeuren. Het is halfeen en iedereen slaapt. We gaan lekker spuiten. Met Neuz.
Rosa knikt en kijkt in de spiegel. Ze probeert te lachen, maar het lijkt nergens op.

'Sigaretje?' vraagt Neuz even later.
Rosa aarzelt en knikt. Wat maakt het ook uit.
Onhandig pakt ze hem aan. Ze lopen door een rustige wijk met brede lanen en hoge bomen en ze zijn op weg naar een gymnastiekgebouw. Ze heeft ook een muts opgezet en rilt, hoewel het een warme nacht is.
Rosa staat stil en inhaleert diep.

'Hé mafkees, het hoeft niet tot je tenen,' zegt Neuz lachend.
Rosa neemt nog een trek. Dan wordt ze opeens heel erg duizelig. Het koude zweet breekt haar uit en alles wordt zwart voor haar ogen. Neuz kan haar nog net opvangen.
'Gek, geef hier die sigaret,' zegt hij geschrokken en hij gooit hem weg. 'Ga daar even zitten en doe je hoofd tussen je benen.'
Rosa wankelt naar het muurtje toe en doet wat haar gezegd wordt. Ze ademt diep in.
'Wat heb je nou?' vraagt Neuz ongerust. 'Dit is al de tweede keer dat je bijna flauwvalt. En je ziet er echt slecht uit, man.' Hij slaat zijn arm om haar heen en Rosa leunt slapjes tegen hem aan.
'Ik ben geen man,' fluistert ze.
Neuz knijpt in haar schouder. 'Je bent hartstikke mager, man, ik voel je botten.' Hij rammelt haar zachtjes door elkaar. 'Je bent toch niet aan het lijnen, hè?'
Rosa geeft geen antwoord.
'Rooz? Zeg eens wat?'
Dan begint ze te huilen. Door de vermoeidheid en de verkoudheid heeft ze geen weerstand meer. Boze sterke Rooz is nergens meer te bekennen.
'Dus wel. Ik dacht het al,' zegt Neuz. 'Huil maar even lekker uit, dat helpt.'
Als Rosa wat gekalmeerd is, vraagt Neuz door.
'Maar wat doe je dan? Eet je gewoon heel weinig? Volg je een dieet?'
Rosa schudt haar hoofd.
'Hé, kom op, je kunt het oom Fopneus heus wel vertellen, hoor. Vrienden hebben geen geheimen voor elkaar. Het is veel beter om over de dingen te praten. En ik heb al eerder gezegd: je hoeft je nergens voor te schamen.'
'Ik steek mijn vinger in mijn keel,' mompelt Rosa bijna onhoorbaar en ze verbergt haar gezicht in haar handen.
Neuz is even stil. 'Is dat alles?'
'Ja,' zegt Rosa verbaasd. 'Is het niet genoeg? Dat is toch smerig? En slap!'
'Een vriendin van een vriend van mij heeft dat ook gehad.'
'Wat?' snuft Rosa.
'Ze noemen het boulimia.'

'Ach, onzin. Dat heb ik toch niet!'
'Misschien een klein beetje,' zegt Neuz sussend. 'Doe je het al lang?'
'Ik denk een maand of zo...'
'O, gelukkig. Maartje had het ook, maar heel erg. Zelfs toen ze eruitzag als een wandelend skelet vond ze zichzelf nog te dik. Ze was vreselijk streng voor zichzelf. Heel zielig. En ze slikte ook allerlei pillen om af te vallen...'
'Wat is er met haar gebeurd?'
'Het ging uit met Wilbert, die vriend. Hij kon er niet meer tegen. Vooral omdat ze geen hulp wilde. Hij heeft van alles geprobeerd, maar ze ontkende de hele tijd dat ze een probleem had. Daarna is ze opgenomen in een speciale kliniek. Ze moest aan het infuus, want ze kon geen eten meer binnenhouden. Als ze wat at, kwam het er meteen weer uit. Ze had het altijd koud, ze werd niet meer ongesteld en had nergens meer energie voor.'
'Shit, zeg,' zegt Rosa geschrokken. 'En toen?'
'Ze zit daar nog steeds. Het gaat iets beter, ze krijgt therapie en heeft een dieet om weer aan te komen. Maar het gaat heel langzaam. Het schijnt dat hoe langer je boulimia of anorexia gehad hebt, hoe moeilijker je ervan afkomt. Zij had het al wel een jaar of vijf. En je kunt er zelfs dood aan gaan.'
Rosa is even stil. Ze moet denken aan vanavond, toen ze op de weegschaal stond. Vierenvijftig kilo. Zes kilo afgevallen en nog steeds vindt ze zichzelf te dik.
Ze wil geen skelet worden. Ze wil niet aan het infuus en in een kliniek. Ze wil niet dood.
'Is anorexia hetzelfde als boulimia?'
'Nee, maar soms gaat het samen,' antwoordt Neuz. 'Anorexia is dat je jezelf uithongert. Dat je gewoon niks meer eet. Met boulimia heb je vreetbuien en dan spuug je alles weer uit. Heb jij dat wel eens?' Neuz kijkt haar ernstig aan.
Rosa friemelt nerveus aan het ringetje in haar wenkbrauw en durft hem niet aan te kijken. 'Soms wel, ja. Als ik een hele tijd niks gegeten heb, krijg ik zo'n honger dat ik me niet meer kan inhouden. Dan prop ik me helemaal vol met alles wat maar eetbaar is. En dan voel ik me daarna verschrikkelijk opgeblazen en dik en dan spuug ik alles er weer uit.' Ze schaamt zich. Wat een

slappe dweil is ze toch. Wat zal Neuz wel van haar denken?
'Weet je ook waarom je het doet?' vraagt Neuz rustig.
Rosa kijkt hem aan. 'Ja, snap je dat niet? Omdat ik te dik ben.'
'Je bent helemaal niet dik. Bijna te mager. Is er nog een andere reden?'
Rosa kijkt naar haar benen en haar buik. 'Misschien… misschien doe ik het ook wel om mezelf te straffen. Omdat ik mezelf niks waard vind… Omdat ik denk dat, als ik heel mooi slank ben, de mensen me dan wel aardig vinden.'
Neuz pakt zachtjes haar koude handen vast. De zijne zijn warm en stevig.
'Weet je… Neuz... er is nog iets… Ik... ik denk…' Rosa kan niet meer verder.
'Zeg het nou maar gewoon,' zegt Neuz. 'Dan ben je het kwijt. Ik vind niks gek.'
'Nou… dat is het juist. Ik… ik denk soms dat ik gek ben.'
Neuz barst in lachen uit.
'Nee, echt waar, je moet me niet uitlachen!' zegt Rosa met tranen in haar ogen. Ze voelt de paniek als een golf in haar buik opwellen.
'Sorry, sorry…' zegt Neuz en hij knijpt in haar arm. 'Ik lach je niet uit, hoor. Helemaal niet. Als er iemand gek is, dan ben ik het wel. Of mijn zus of… mijn vrienden, maar jij niet.'
'Ik wel,' zegt Rosa zacht. Ze haalt diep adem. 'Weet je… Ik… ik heb stemmen in mijn hoofd.'
Neuz steekt nog een sigaret op, kijkt ernaar en gooit hem dan weg. 'Een stem in mijn hoofd zegt nu dat roken hartstikke slecht voor me is,' zegt hij met een zware stem en hij slaat zichzelf op zijn vingers. 'Foei Neuz, stomme Neuz, slappe dropneus die je bent.'
Rosa grinnikt. 'Ja, zoiets bedoel ik. Ik heb twee stemmen in mijn hoofd zitten en die maken de hele tijd ruzie.'
'Mmm,' zegt Neuz nadenkend. 'Hebben ze ook een naam?'
Rosa kijkt hem verbaasd aan. 'Ja… hoe weet jij dat nou?'
'O, ik heb ook een hele verzameling. Ik heb bijvoorbeeld een strenge stem, die noem ik de Politieagent, die maakt me altijd heel ongelukkig met zijn gezeur en zijn commentaar. En er is een klein jongensstemmetje, dat altijd zijn zin wil hebben, die

noem ik Wurmpje en… er zit ook een uitslover in me, die noem ik mister Marvelous. Dat is een soort betweter. Een uitslover die indruk wil maken door te laten zien hoe slim en verstandig hij is. En er is ook een lafaard, die noem ik ridder Schijtlaars.'
Rosa moet ondanks haar ellende lachen. 'Het is druk in jouw hoofd! En wat doe jij daar dan mee?'
'Nou, als ik bijvoorbeeld een leuk meisje zie, dan ga ik me enorm uitsloven. Ik ga opscheppen en stoer doen en laten zien hoe slim ik wel ben. Om indruk te maken. En soms krijg ik opeens in de gaten dat ik dat doe. Alsof ik mezelf kan zien. En dan zeg ik tegen mezelf: Hé, mister Marvelous is weer eens bezig. Kijk eens hoe hij zich uitslooft. En dan besef ik opeens dat het een soort rol is die ik speel, omdat ik me onzeker voel. En op het moment dat ik dat in de gaten krijg, houdt het op. Dan word ik weer gewoon mezelf en doe ik weer normaal. Maf, hè? Het gekke is dat het wel werkt. Maar we hadden het over jou.'
Rosa haalt nog een keer diep en bibberig adem. Ze voelt zich al wat beter. Het fijne is dat, doordat Neuz zo eerlijk is, zijzelf dat ook durft te zijn.
'In mijn hoofd zitten Rosa en Rooz. Rosa is zoals ik vroeger was. Verlegen en voorzichtig en onzeker. Een beetje een watje. Rooz is brutaal en gemeen en oneerlijk. Ze durft alles en niks kan haar wat schelen.'
Rosa gaat rechtop zitten en kijkt naar de maan, die tussen de wolken te voorschijn komt.
'Ik wilde mezelf veranderen. Ik vond mezelf stom. Ik had genoeg van dat suffe Roosje, dat niks durfde en te verlegen en onzeker was om vrienden te maken. Niemand vond haar leuk of interessant. Een soort grijs muisje. Daarom vond ik Rooz uit. Het begon als een soort spel, maar toen werd het echt… Die… die boze Rooz werd steeds sterker en ze liet… ze laat me dingen doen die ik eigenlijk niet wil…'
'Zoals?'
'Zoals geld pikken,' zegt Rosa beschaamd. 'En ik heb een keer een truitje uit een winkel gestolen. Ik heb me laten opjutten door een vriendin. Maar ik dééd het wel.'
Neuz kijkt haar aan.
Rosa knippert met haar ogen en wendt haar blik af.

'Weet je, volgens mij pikt ieder kind wel eens wat. Heb ik ook gedaan. Repen chocola in de supermarkt en geld uit mijn moeders portemonnee. En op een dag dacht ik opeens: hé, dat deugt niet, het voelt slecht, ik wil geen dief zijn. En toen heb ik het gewoon nooit meer gedaan.'
'Heb je het tegen je moeder gezegd?'
Neuz lacht. 'Ja, en je raadt nooit wat ze zei...'
'Wat dan?'
'Dat zij dat vroeger ook wel eens gedaan had. Lolly's pikken uit de winkel, want daar was ze verslaafd aan toen ze klein was en die kreeg ze nooit van haar moeder. Ze had dat nog nooit aan iemand verteld!'
Rosa kijkt Neuz met grote ogen aan. 'Echt waar?'
'Echt waar. En toen moesten we samen heel hard lachen. En ze zei dat ze het hartstikke dapper vond dat ik het eerlijk verteld had.'
Rosa is even stil. Het is lang geleden dat zij met haar moeder heeft gelachen. Vroeger deden ze dat wel, vaak zelfs. Toen ze met zijn tweetjes woonden en Alexander er nog niet was.
Neuz legt zijn hand op haar arm. 'Wat doet die boze Rooz nog meer?'
'Ik heb laatst een kind tegen de verwarming geduwd en toen had ze een gat in haar hoofd. Het was niet mijn bedoeling om haar echt pijn te doen, maar het gebeurde gewoon. Ik was zó woedend.'
'Pesten ze je op school?'
Rosa knikt en kijkt hem verdrietig aan. 'Ze schelden me uit voor Miss Piggy. Omdat ik zo dik ben.'
'Hou toch op! Je bent helemaal niet dik. Wie heeft je dat eigenlijk wijsgemaakt?'
'Die kinderen op school. Ze noemen me toch niet voor niks zo.'
'Ze zijn gek. Misschien noemden ze je wel om een andere reden zo. En bovendien vind ik miss Piggy hartstikke leuk. Ik lach me altijd dood om haar. Zal ik jou ook zo noemen?'
'Als je het maar laat,' zegt Rosa en ze geeft hem een duw.
Neuz wordt weer serieus. 'Het is klote als je gepest wordt,' zegt hij. 'Het gemene is dat kinderen die het gevoeligste zijn en toch al weinig zelfvertrouwen hebben, het meest gepakt worden.'
'Je praat als een volwassene!' zegt Rosa.

'Aha! Mister Marvelous, die alles weet. Ik praat mijn vader na. Die is psycholoog.'
'Ik dacht dat hij piloot was?'
'Dat is hij ook, maar hij leest altijd psychologieboeken.'
'Dan is hij een psycholoot,' zegt Rosa lachend.
'Of een piloloog!'
'Het is wel waar wat hij zegt. Ik trek me altijd alles heel erg aan.'
Neuz knikt. 'En dat vinden die pesters juist leuk! Ik ken dat. Weet je, op de basisschool werd ik ook flink geplaagd, met mijn neus. "Hé neus, waar ga je met Vincent naartoe? Goeiemorgen Pinokkio!" En meer van die stomme opmerkingen. Het ging pas over toen ik me er niks meer van aantrok. Toen ik mezelf gewoon accepteerde zoals ik was. Mijn moeder zegt altijd: "Iedereen heeft wat. De een flaporen, de ander een dikke buik, weer een ander lacht als een mekkerend schaap. En toch zijn we allemaal hetzelfde onder die buitenkant."
'Ja mister Marvelous,' zegt Rosa lachend. Ze voelt zich opeens een stuk lichter. Het is fijn om met iemand over dit soort dingen te praten. Iemand die je begrijpt.
'We willen ook allemaal hetzelfde,' gaat Neuz ernstig verder.
'Wat dan?'
'Dit,' zegt Neuz. Hij trekt haar naar zich toe en geeft haar een zoen op haar mond. 'Liefde. We willen allemaal dat er van ons gehouden wordt zoals we zijn.' Dan staat hij verlegen op. 'Kom, we gaan die piece zetten, anders is het te laat.'

Rooz + Neuz = Reuz

'Je moet een cap met een heel klein gaatje gebruiken voor die details,' zegt Neuz en hij geeft haar er een aan.
Rosa spuit voorzichtig de binnenkant van de krul van de Z rood en doet een stap achteruit.
De tekening is prachtig geworden.
Neuz slaat zijn arm om haar schouder. 'Goed idee van jou, Roos, onze twee namen samen. Rooz en Neuz. REUZ. Samen zijn we reuzesterk!'
Rosa aarzelt even en slaat dan haar arm om zijn middel. 'Vanmiddag dacht ik nog dat ik verliefd was op mijn tekenleraar. Ik snap er helemaal niks meer van.'
'Je moet niet overal zoveel over nadenken. Wat zegt je gevoel?'
'Dat ik me blij voel. Opgelucht.'
Neuz trekt haar tegen zich aan. Zo staan ze samen naar de kleurige tekening te kijken.
'Zullen we maar eens naar huis gaan?' zegt hij ten slotte.
Rosa knikt. De rillerigheid is opeens over en de keelpijn lijkt ook minder. Ze zou zo de hele nacht kunnen blijven staan. Hand in hand slenteren ze over straat. De stad slaapt en de maan speelt verstoppertje met de wolken. Rosa voelt zich rustig en, voor het eerst sinds tijden, veilig en gelukkig.
Neuz weet nu alles van haar. En hij vindt haar nog steeds aardig.

No fear. Ze is niet meer bang. Zijn grote hand omklemt de hare, warm en stevig.
'Heb jij, behalve dat pikken, nog andere dingen gedaan waar je spijt van hebt?' vraagt Rosa zacht.
Neuz staat stil en kijkt haar aan. Hij doet zijn mond open om iets te zeggen.
Op dat moment verscheurt een doordringende gil de stilte van de nacht. Een noodkreet. Een schreeuw van iemand in doodsangst.

'Wat is dat?' vraagt Rosa geschrokken.
'Het komt daarvandaan.' Neuz wijst naar een donkere steeg.
Zonder erbij na te denken beginnen ze allebei te rennen in de richting van het geluid.
Aan het eind van de doodlopende steeg ligt iemand op de grond. Drie jongens staan om hem heen en slaan en trappen op hem in. De man ligt in elkaar gerold en klemt zijn bebloede handen beschermend om zijn gezicht. 'Help, stop!' kermt hij. 'Hou op, au! Ik heb niks meer... Nee! Hou...'
Op dat moment krijgt hij een trap tegen zijn kaak.
Rosa en Neuz duiken een portiek in.
'Wegwezen,' sist Neuz. 'Dat zijn dus die jongens waar ik het over had. Als ze ons in de gaten krijgen, zijn we nat.'
'Maar... maar we kunnen die man toch niet aan zijn lot overlaten... Dadelijk slaan ze hem dood,' fluistert Rosa terug. 'Het zijn er drie tegen één man alleen.'
'Ik heb een mobiel. Ik bel de politie.'
'Nee joh! Tegen de tijd dat die er is, is het misschien te laat,' zegt Rosa.' Moet je zien, hij zit onder het bloed... Wat een gemene klootzakken... Durven ze wel. Ik ga helpen!'
'Nee!' Neuz grijpt haar bij haar arm.
Rosa kijkt hem met opengesperde ogen aan en trekt zich los. 'Kom op, ridder Schijtlaars, samen zijn we sterk, weet je nog?'
Neuz aarzelt een paar seconden.
De oude man kermt hartverscheurend.
Dan knikt Neuz. Hij draait zich om, slaakt een luide indianenkreet en rent naar het vechtende stel toe.
Rosa spurt hem achterna. 'Stop onmiddellijk!' gilt ze. 'Stelletje lafbekken, hou daar mee op!'

De jongens draaien zich om.
'Aha!' roept de grootste. 'Wie hebben we daar? Onze wegloper! Onze verrader. Mannen, hier is onze grote vriend Neuz!'
De andere twee draaien zich ook om. Rosa kijkt Neuz verbaasd aan.
Een dikke jongen met enorme spierballen en een gemeen gezicht veegt zijn handen aan zijn broek af en doet een paar stappen in hun richting. 'Neuz, jongen, wat een verrassing! Wat leuk je weer te zien. We hebben je gemist, man!'
'Ja Neuz...' zegt de derde. 'Hoe bevalt het leven je tegenwoordig? Als heilig boontje? En je hebt een leuk meisje bij je, zie ik...' Hij wrijft in zijn handen en loopt op Rosa af.
Neuz springt voor haar. 'Loop weg, Rooz, jij hebt hier niks mee te maken. Schiet op, wegwezen!'
'Nee,' roept Rosa. 'Ik laat je niet alleen! Ken je deze jongens, Neuz?'
De grootste jongen grijpt haar ruw bij haar arm. Neuz duwt hem weg. De dikke jongen geeft Neuz een karateslag in zijn nek. Rosa gilt.
Dan gaat alles opeens heel snel. Verderop in de straat hoort ze een mannenstem roepen.
Er flikkert iets in het licht van de maan. Neuz schreeuwt en ze krijgt een dreunende klap tegen haar slaap. Een misselijkmakende pijn schiet door haar hoofd. Ze valt. Dan wordt alles zwart.

Rosa, hoor je me?

'Rosa? Rosa, hoor je me?'
Rosa krijgt haar ogen nauwelijks open. Ze vallen steeds weer dicht. Ze heeft het gevoel dat ze onder water zwemt en dat het haar niet lukt om boven te komen. Alles is wazig. Ze ziet een gezicht boven het hare hangen. Wie is het?
Dan zakt ze weer weg. Ze spartelt tegen... Terug omhoog, naar het licht. Maar alles wordt weer zwart.

'Rosa! Rosa, hoor je me?'
Rosa... Wie is Rosa? Is zij Rosa?
Wazig, ongrijpbaar, onduidelijk. Vreemde gezichten. Angst. Pijn in haar hoofd. Pijn in haar arm. Kan niet bewegen. Verlamd. Een golf van paniek. Duisternis.

'Rosa, Rosa!'
Een dringende, angstige stem. Rosa doet haar ogen open. Nu gaat het beter. Maar het licht is veel te schel en haar mond voelt aan alsof er stopverf in zit. Ze probeert haar hoofd op te tillen, maar een scheut van pijn houdt haar tegen.

'Rosa, godzijdank, je bent wakker!'
Een huilende vrouw zit naast haar bed en klemt haar hand in de hare.
Naast haar staat een man in een witte jas. Hij buigt zich over haar heen en schijnt met een lampje in haar ogen.
Rosa knijpt ze dicht. 'Wie... Wat... wat doe ik hier?'

De vrouw legt haar gezicht op haar arm en begint te huilen. 'O lieve schat, ik ben zo bang geweest... O Roos...'
De man in het wit klopt de vrouw op haar rug. De kamer is wazig, halfdonker. Het ruikt er vreemd.
Ze probeert overeind te komen, maar het lukt niet. Weer een grote golf van paniek. Er is iets helemaal verkeerd, maar ze weet niet wat. Wie is die vrouw? Waar is ze? Wie is Rosa?
Een andere man verschijnt. Hij legt zijn arm om de huilende vrouw en neemt haar mee.
De man in het wit gaat naast haar bed zitten. 'Weet je hoe je heet?' vraagt hij vriendelijk. 'Vertel me je naam eens.'
Met moeite krijgt Rosa haar lippen van elkaar. Ze voelen droog en gebarsten aan. Ze probeert ze met haar tong te bevochtigen. Ze is bang.
No fear! No fear! klinkt een galmende stem in haar hoofd. Vreemd genoeg maakt dat haar wat rustiger.
'Ik... ik weet het niet,' brengt ze ten slotte met moeite uit. 'Ik weet mijn naam niet.' Ze knijpt haar ogen dicht. Ze weet haar naam niet meer. Dat is verschrikkelijk!
No fear... Wie is ze? Wat is er gebeurd?
De man staat op en knikt. Hij aait voorzichtig over haar arm. 'Ga maar slapen. Wees maar niet bang. Het komt wel goed.'

Als ze weer wakker wordt, is het licht in de kamer. Naast haar zit de vrouw. Ze komt haar nu vaag bekend voor.
'Rosa... Rosa, liefje, weet je wie ik ben?'
Rosa bestudeert haar gezicht. De blonde haren, de donkerblauwe ogen, de moedervlek naast haar oor. Een diepe rimpel tussen haar wenkbrauwen. Ze heeft een lieve mond. Ze huilt alweer.
'Liefje... ik ben het... Zie je dat niet?'
'Mama?' Rosa begint te huilen. 'Mama, o mama, waar ben ik? Wat is er gebeurd? Ik was zo alleen... Ik was zo ver weg en...'
Ze kan niet meer verder praten. De zijkant van haar hoofd bonst hevig. Haar gezicht vertrekt van pijn.
Haar moeder pakt haar vast. 'Stil blijven liggen, liefje. Maak je niet te druk. Je hebt een zware hersenschudding en je bent twee dagen bewusteloos geweest. Je lijdt aan geheugenverlies, zegt de dokter. Kun je je al herinneren hoe je heet?'

Een naam borrelt door een dikke, donkere stroop heen naar de oppervlakte. 'Rooz...' mompelt ze moeizaam.
'Goed zo, schat...' zegt haar moeder. De tranen lopen over haar wangen. 'Je heet Rosa. Weet je je achternaam ook?'
Tranen van onmacht en paniek lopen via Rosa's wangen haar oren in. Haar moeder veegt ze zachtjes weg.
Er borrelt niks meer omhoog. 'Ik... ik weet het niet...' stamelt ze. 'Ik ben bang, mama. Ik weet het niet.'
'Ssst...' zegt haar moeder zachtjes. 'Het komt goed. Het heeft alleen tijd nodig. Doe je ogen maar dicht. Heb je pijn, liefje?'
Ze probeert ja te knikken, maar het lukt niet. Haar hoofd voelt aan alsof er met een zware steen op gebonkt wordt.
'Ga maar slapen, ik blijf bij je.'

De volgende keer dat ze naar boven zwemt, is het anders. Ze voelt zich steviger. Haar maag knort.
Haar moeder zit niet naast het bed. Aan een tafel zit een jongen. Hij heeft een muts op en een kamerjas aan. Hij heeft een grote pleister over zijn neus. Hij zit te tekenen onder het licht van een lamp. De rest van de kamer is donker.
Als hij ziet dat ze haar ogen open heeft en hem aanstaart, houdt hij de tekening voor haar op.
'Ik heb een nieuw ontwerp gemaakt,' zegt hij opgewekt. 'Vind je het mooi?'
Hij komt dichterbij en houdt de tekening voor haar gezicht. Het is een roos. Een roos in de knop. ROOZ staat er met grote, kleurige letters onder. In de ene O is een maan getekend, met wolken eromheen. In de andere O een rood stralend hart.
'Mooi...' mompelt Rosa. Ze weet wie hij is. 'Neuz...wat is er met je neus gebeurd?'
Neuz lacht opgelucht. 'Ah! Je herkent me. Gelukkig.'
Opeens stromen er meer dingen naar boven.
'Roos...' mompelt ze. 'Ik heet Rosa van Dijk. Roos of... Rooz. Wie ben ik?'
'Allebei...' fluistert Neuz met een glimlach. 'En allebei even lief.'
Weer tranen. Rosa sluit vermoeid haar ogen. Als ze ze weer opendoet, zit Neuz er nog.
'Wat is er nou met je neus gebeurd?'

'Gebroken,' zegt Neuz. 'Stoer, hè? Nu krijg ik een boksersneus.' Hij trekt zijn kamerjas open. Op zijn blote, witte buik zit ook een verband. 'Messteek,' zegt hij trots. 'Zeven hechtingen. Maar niks aan de hand, hoor. Ik mag morgen al naar huis. Herinner je je die vechtpartij nog?'

'Nee... nauwelijks. Geschreeuw...'

'Hoeft ook niet. Je hebt last van geheugenverlies. Maar het komt allemaal terug, wees maar niet bang.' Neuz pakt haar hand vast en streelt die zachtjes. 'We zijn helden...' fluistert hij. 'We hebben het leven van een oude man gered!'

'Echt waar?'

'Ja. Goed van ons, hè. Ridder Schijtlaars en Roos de Reuz.'

Ze krijgt een vaag beeld van de bebloede man... Het mes dat glinsterde in het maanlicht. En er was nog iets. Iets belangrijks. Wat was het nou... Rosa denkt diep na. Maar het is moeilijk. Ver weg. Als grote, logge vissen schieten woorden en beelden door haar hoofd en ze kan ze niet grijpen.

Neuz aait over haar hand. Dan weet ze het opeens. Die grote jongen, die riep: 'Neuz... onze vriend... verrader...'

'Die jongens kenden jou... Wat... Hoe...' Rosa probeert overeind te komen, maar Neuz houdt haar zachtjes tegen.

'Je moet plat blijven liggen van de dokter.'

'Neuz, vertel nou...'

'Je bent nog te zwak nu, Rooz.'

'Ik wil het toch weten,' zegt Rosa koppig.

Neuz legt zijn hoofd voorzichtig naast het hare op het hoofdkussen, alsof hij haar niet durft aan te kijken. 'Vlak voor het gebeurde, vroeg jij of ik nog ergens spijt van had. Weet je dat nog?'

'Nee... niet echt...'

'Ik kende die jongens inderdaad. Ik hoorde vroeger bij ze. Ik heb stomme dingen gedaan... Maar dat was vroeger. En toen wilde ik niet meer. Want het werd steeds erger. Ik schaamde me. Ridder Schijtlaars was ik toen. Nee, geen ridder. Een schurk. Schurk Schijtlaars. En dat wilde ik niet meer zijn. Ik wilde ook veranderen, net als jij. Ik was bang voor ze. Steeds bang dat ik ze zou tegenkomen op straat.'

Rosa voelt dat haar wang nat wordt. Maar het zijn dit keer niet haar tranen. Of wel?

'Maar ze dwongen me… Ze waren bang dat ik ze zou verraden. Maar dat heb ik niet gedaan…' Neuz' stem klinkt verstikt door tranen. Rosa knijpt zwakjes in zijn hand, die naast de hare op het witte laken ligt.
'Weet je nog, no fear, Neuz. Dat was vroeger. Nu is het nu. Nu is het allemaal anders, toch?'
Rosa voelt dat Neuz knikt.
'Zijn… zijn ze opgepakt? Hoe is het eigenlijk afgelopen? Ik kan me er niks meer van herinneren. Alleen een klap en… en een mes…'
'Iemand had de politie gebeld, die kwam vlak nadat jij buiten bewustzijn raakte. Die lange jongen, Barry heet hij, wilde jou grijpen, maar ik sprong ertussen. Hij wilde mij een dreun geven, maar die kwam op jouw hoofd terecht. Jij viel en je kreeg nog een trap. En toen is je arm gebroken. Ik gaf die jongen een stomp in zijn maag zodat hij dubbel op de grond klapte, maar die andere, die dikke, had een mes.'
Rosa houdt haar adem in. 'En toen?'
'Dat stak hij in mijn buik.'
'Ai!' Rosa rilt. 'Deed het pijn?'
'Eerst voelde ik het niet eens… maar toen keek ik en zag allemaal bloed. En mijn ingewanden puilden eruit.'
Rosa kijkt hem geschrokken aan. 'Echt?'
'Nee, hoor. Alleen maar heel veel bloed. En toen ben ik ook flauwgevallen. Meteen daarna kwam gelukkig de politie.'
'Je had wel dood kunnen zijn, Neuz.'
Neuz knikt. Hij haalt zijn neus op en gaat moeizaam overeind zitten. 'Maar ik leef nog, hoor! Onkruid vergaat niet.'
'En je hebt mij gered!'
'Het is maar hoe je het bekijkt, Rooz. Je kunt ook zeggen dat ik je in de problemen heb gebracht.'
'Maar je was hartstikke dapper. Je bent niet weggelopen en je hebt mij verdedigd. Dank je wel.'
Neuz kijkt haar blozend aan. 'Je moet je niet zo druk maken. Probeer maar weer te slapen.'
'Kan ik niet.'
Rosa probeert aan haar hoofd te voelen. De zijkant doet nog steeds akelig pijn.

Aan haar rechterhand zit een infuus en haar linkerarm kan ze bijna niet bewegen. Hij zit in het gips.
'Hé, ik krijg opeens een idee. Doet dit zeer?' Neuz klopt heel zachtjes op het gips.
'Nee... Ik voel niks. Het bonkt een beetje vanbinnen, maar het doet niet extra pijn.'
Neuz staat op en loopt langzaam naar de tafel. Hij komt terug met een doos stiften. 'Mag ik?' Hij wijst op de tekening in het schetsblok en dan naar haar arm.
'Ga je gang,' zegt Rosa met een scheve grijns. 'Maak er iets moois van. En... en het is Roos met een S, niet met een Z.'

Ziekenhuis-meel

Jonas de Leeuw

Van:	Rosa van Dijk <rosavandijk@fastmail.com>
Aan:	Jonas de Leeuw <jdl@xs22.nl>
Verzonden:	donderdag 24 juni 11.10 uur
Onderwerp:	Ziekenhuis-meel

Lieve Jonas,

Ik zit nu rechtop in het ziekenhuisbed. Ik word vertroeteld alsof ik een prinsesje ben.
Ik heb een heel mooi T-shirt aan. Er staat met graffitiletters op: No fear! Gekregen van Neuz. We hebben verkering! Maar je vindt dat niet erg, toch? Ik zit daar wel een beetje over in, hoor. Je moet het me eerlijk zeggen.
Ik mag mama's notebook gebruiken, vandaar dat ik je kan schrijven. Ik ben van het infuus af, dus ik kan me nu makkelijker bewegen.
Ik hoorde dat Apenbil je opgebeld heeft om te vertellen wat er gebeurd is.
Weet je dat Neuz en ik in de krant hebben gestaan?
'Twee jonge helden redden leven van bejaarde man.'
Ik zal je een kopie van het artikel sturen. Neuz en ik werden geïnterviewd en ik heb ook nog gauw even gezegd dat graffiti kunst is en dat de wereld een groot schetsboek is. En iets over de stoute Neanderthaler-pubers, dus dat staat er ook in. Daar moest die reporter erg om lachen.

Hij vond het een heel originele kijk op grotschilderingen, zei hij. Ik vertelde dat ik dat niet bedacht had maar jij, en toen wilde ik reclame voor jouw gedichten gaan maken, maar helaas, dat wilde hij niet doen.
De man die wij gered hebben, ligt ook in het ziekenhuis, op een andere afdeling. Zijn vrouw komt ons elke dag een cadeautje brengen, zo blij is ze dat haar man nog leeft. Ik heb een heel mooi boek gekregen, een knuffel (!), een Barbie (!) en een doos heerlijke bonbons, die ik allemaal al opgegeten heb. Neuz heeft een afstandsbestuurbare raceauto (!), een boek en een enorme pot drop gekregen. Ze snapt niet helemaal goed waar wij nog mee spelen, geloof ik. Maar het is wel lachen, hoor! Ik heb het boek van Neuz ingepikt. Het heet *Alleen op de wereld* en het is lekker zielig.
Ik voel me niet meer alleen op de wereld. Het is net alsof ik door die klap op mijn hoofd wakker geworden ben. Ik ben hartstikke blij dat ik nog leef.
Verder heb ik besloten dat ik ga ophouden met dat gelijn. Het ging echt een beetje te ver hoor. Op het laatst was ik zes kilo afgevallen. Veel te veel. Maar toen vond ik dat nog te weinig. Ik had me gewoon in mijn hoofd gehaald dat ik te dik was. Ik keek te veel naar MTV en vergeleek mezelf met fotomodellen. Dat slaat natuurlijk nergens op. Ik moet zelfs dikker worden van de dokter. Er is een soort sommetje waarmee je je ideale gewicht kunt berekenen. Dat gaat zo:
Neem je lengte, trek daar 150 van af, doe dat maal 0,6 en tel er dan 50 bij op. Dat is je ideale gewicht. Beetje ingewikkeld, hè? (Voor jongens moet je het vermenigvuldigen met 0,7.)
Ik zal mijzelf als voorbeeld nemen.
Ik ben 1.72 – 150 = 22 x 0,6 = 13,2 + 50 = 63,2 kilo.
En ik woog maar zestig toen ik begon met lijnen! Haha, kom maar op met die bonbons. Slagroomtaarten, drop en chips zijn ook welkom.

Neuz heeft met stiften een prachtige graffititekening op mijn gipsarm gemaakt. Hij wilde ook met een spuitbus in de weer gaan, maar dat mocht niet van de verpleegster. Hij heeft het heel druk, want alle andere kinderen op de afdeling die gips

hebben, willen ook een tekening. Het hoofd van de afdeling, een heel leuke dokter, is zelfs zo van zijn tekentalent onder de indruk dat hij, als hij helemaal beter is, een paar graffititekeningen in de gang mag maken! Echt waar! Wauw! En hij krijgt ervoor betaald. En ik mag helpen!
Ik voel me al een stuk beter en mijn geheugen is helemaal terug. Dat was wel hartstikke eng, hoor, toen ik me niks kon herinneren. Ik wist niet eens meer hoe ik heette en waar ik op school zat. Het kwam langzaam allemaal terug. Apenbil herkende ik als laatste, haha.
Maar hij doet heel aardig nu. We hebben, toen mama er niet was, een hartstikke volwassen gesprek gehad samen. Hij heeft uitgelegd dat hij het allemaal heel moeilijk vindt. Hij is al eenenveertig en heeft nooit kinderen gehad. Nu heeft hij opeens een puber én een baby. Hij zegt dat hij zijn best wel doet, maar vaak gewoon niet weet wat hij moet doen! En ik heb het hem natuurlijk ook niet makkelijk gemaakt, omdat ik hem niet accepteerde, want ik wilde mijn eigen vader terug. En omdat ik kwaad op hem was omdat hij verliefd op mama geworden was. Dat hebben we allemaal aan elkaar verteld. En ik begreep hem best en hij mij ook. Dat luchtte enorm op.
We hebben afgesproken dat we de survivaltips van Esther gaan uitproberen!
Weet je, voor het ongeluk voelde ik me in tweeën gespleten: in Rosa en Rooz. Ik wist gewoon niet wie ik wilde zijn. Of welke van de twee ik nou werkelijk was. Ik voelde me zo ongelukkig en dacht dat niemand om mij gaf.
Het rare is dat ik sinds die klap, die mijn kóp bijna in tweeën gespleten heeft, dat gevoel niet meer heb. Het komt, denk ik, vooral doordat ik er met andere mensen over gepraat heb. Eerst met Neuz. En toen met mama. En zelfs met Alexander. En ook wel met jou en Esther, via de meel.
Ik heb er eigenlijk best veel van geleerd. Ik weet nu beter wat ik wil. Ik wil in ieder geval gewoon mezelf zijn en niet meer mijn best doen om iemand anders te wezen. Zoals Karien, die ik zo bewonderde, maar die eigenlijk helemaal niet zo aardig was toen ik haar beter leerde kennen. Of zoals die mooie meisjes op MTV en in tijdschriften en films.

Ik heb gemerkt dat er best veel mensen om me geven. Gewoon zoals ik ben. Jij bijvoorbeeld, en Esther, en Neuz, en Meyer, en mama en papa en Appie natuurlijk. Zelfs Alexander heeft gezegd dat hij heel veel van me houdt! Moet je je voorstellen, Apenbil! Haha.

Ik heb besloten dat ik naar de kunstacademie wil. Neuz en ik hebben uitgerekend dat als ik naar de eerste ga, hij in de derde zit. Lijkt me hartstikke leuk. De hele dag tekenen en schilderen en dingen maken.
Tot mijn verbazing is er een heel stel kinderen uit mijn klas op bezoek gekomen. Ze vinden me nu plotseling heel interessant en bewonderen me om wat ik gedaan heb. (Haha, dat wilde ik ook! Maar ik had nooit gedacht dat het zo zou gaan.) Ze hebben hun excuses aangeboden, omdat ze me zo gepest hebben. Ze hebben het er op school uitgebreid over gehad. Ik heb gewoon eerlijk verteld dat ik soms misschien een beetje raar deed, omdat ik me heel alleen voelde en onzeker was. Dat begrepen ze en ze deden daarna echt hartstikke aardig.
Meyer is ook op bezoek geweest en heeft een tekenblok en een doos pastelkrijt meegebracht! Pastelkrijt is hartstikke leuk om mee te werken. Ik heb al een heleboel tekeningen gemaakt. De verpleegsters vinden het iets minder, want mijn lakens hebben nu steeds alle kleuren van de regenboog. Gelukkig is het mijn linkerarm die gebroken is en kan ik nog tekenen en met één hand typen.
Het gips mag er over een week af, maar dat vind ik jammer, want ik ben erg gehecht aan de mooie tekening die Neuz erop gemaakt heeft. Ik hang de lege gipsarm op boven mijn bed. Het is een kunstwerk.
Papa is ook op bezoek geweest, met zijn nieuwe vriendin. Ze is best aardig. Hij is heel trots op me, zei hij, en hij vond het ringetje in mijn wenkbrauw cool! Zijn vriendin heeft zo'n piepklein diamantje in haar neus!! Ouwe mensen die hip proberen te doen. Haha.
In de zomervakantie gaan hij en ik, met zijn tweetjes, twee weken ergens naartoe.

Ik voel me heel blij nu, ondanks dat ik in het ziekenhuis lig. Ik heb zelfs zin om weer naar school te gaan. Ik hoop dat ik niet te veel gemist heb.
Schrijf gauw terug. Ik wacht met smart op nieuwe gedichten.

Veel liefs van je beste IV-vriendin,
Roos

Esther Jacobs

Van:	Rosa van Dijk <rosavandijk@fastmail.com>
Aan:	Esther Jacobs <esther@xs42.nl>
Verzonden:	donderdag 24 juni 14.05
Onderwerp:	Miss Piggy is blij

Hoi Essiebessie,

Jij hebt ook al gehoord wat er gebeurd is, hè? Van Jonas. Hij vertelde me dat hij jou gebeld heeft, nadat Alexander hem gebeld had. Wat een avontuur, zeg.
Mijn arm mag binnenkort uit het gips en ik heb alleen nog maar 's avonds soms hoofdpijn.
De zijkant van mijn hoofd zag helemaal bont en blauw, joh. Heel interessant. Ik mag morgen naar huis, maar ik moet het nog wel een tijdje rustig aan doen.
Mama heeft dat boek gekocht waar jij die survivaltips uit gehaald hebt, en ze wil nu de hele tijd van alles op me uitproberen. Hoe voer ik een goed gesprek met mijn kind en zo. Je lacht je rot. Maar zij is ook heel blij dat ze nu weet hoe ik me voelde. Ze zei zelfs dat ze heel erge spijt heeft dat ze zo weinig aandacht voor me had, de afgelopen tijd.
Ik heb haar alles verteld.
Echt alles. Ook dat ik mijn vinger in mijn keel stak, omdat ik wilde afvallen. Dat wist jij ook niet. Niemand wist het. Ik schaamde me er ontzettend voor. Maar nu is dat verleden tijd. Ik doe het nooit meer. Ik word gewoon weer lekker miss Piggy! Ik weet nu ook dat ik helemaal niet dik was, dat dacht

ik alleen maar. Ze noemden me miss Piggy omdat ik een wipneus heb en blond haar. En ook omdat ze vonden dat ik me soms aanstelde. Maar ik heb ze eerlijk verteld dat ik gewoon onzeker was. Dat ik gewoon niet goed wist hoe ik me moest gedragen.
Eén meisje zei zelfs dat ze stiekem jaloers was op mijn blonde krullen en dat ze me zo knap vond. Ha, zo zie je maar. En ik maar denken dat ik lelijk was. Nu heb ik dus wel paarse krullen.
Ik heb nog een nieuwtje. Ik heb verkering! Met Neuz. Hij is zo lief, joh. En hij kan geweldig goed tekenen. (Ja, en ook goed zoenen! In het ziekenhuisbed, haha!)
We gaan samen een grote graffititekening maken, in de hal van het ziekenhuis.
We worden vast een heel beroemd duo. Reuz en Neuz. Klinkt cool, hè?

Es, ik wil je nog zeggen dat ik het heel fijn vind dat je mijn vriendin bent. Het spijt me dat ik zo weinig van me liet horen. Ik durfde je gewoon niet alles te vertellen, omdat ik me schaamde. Dus schreef ik maar niet. Maar je had wel gelijk, hoor.
Ik vond mezelf vroeger een grijs muisje, maar ik was vooral een bang muisje.
Nu heb ik een T-shirt aan waarop staat: NO FEAR! Van Neuz gekregen.
Een verpleegster hier loopt er ook in rond, ze heeft er een van Neuz gekocht. Lachen, vooral als ze met zo'n grote spuit komt aanzetten!

Veel zwippeltjes van je vernieuwde vriendin

Rosa-Abrikosa!

Rosa van Dijk

Van: Rosa van Dijk <rosavandijk@fastmail.com>
Aan: Rosa van Dijk <rosavandijk@fastmail.com>
Verzonden: donderdag 24 juni 20.02
Onderwerp: Me-mail

Hoi Rooz,

Dit is een afscheidsmail aan jou. Sinds het ongeluk heb ik je stem niet meer gehoord. Het is nu een stuk rustiger moet ik zeggen. Maar je bent vast nog ergens. Of misschien zijn Roos en Rooz nu samengesmolten tot Rosa, de vernieuwde versie. Ik weet het niet en het maakt me ook niet zoveel uit.

Dus... de zwieberzwapjes en misschien tot horens!

Rosa

P.S. Mijn piercing mag blijven zitten! Ik heb van mama zelfs een heel mooi blauw dingetje gekregen dat erdoorheen kan. Vond ze mooier dan een ringetje. Haha. Heeft zij toch het laatste woord. Daar gaan we weer! FREE ME!

Francine Oomen is geboren op 27 maart 1960 in Laren (NH), als oudste van vijf kinderen. Na de middelbare school en de Design Academy in Eindhoven werkte ze als zelfstandig industrieel ontwerper, en ontwikkelde ze onder andere nieuwe soorten baby- en kleuterboeken.
In 1990 verscheen Francines eerste boek, *Saartje en Tommie op de boerderij*, voor kleuters. Later ging ze boeken voor oudere lezers schrijven.
Francines grote doorbraak kwam met de *Hoe overleef ik...*-serie. De boeken vielen vaak in de prijzen bij kinderjury's. Naast de boeken is er inmiddels ook een *Hoe overleef ik...*-spel, zijn er *Hoe overleef ik...*-schoolartikelen en T-shirts, en een film natuurlijk.
Over de vriendin van Rosa, Esther, zijn er ook twee boeken: *Ezzie's dagboek* en *Ezzie's wereld*.
In 2003 schreef Francine het Kinderboekenweekgeschenk: *Het Zwanenmeer (maar dan anders)*, het eerste deel van de Sam, Beer en Pip-trilogie.

Andere boeken in de HOE OVERLEEF IK...-SERIE

Hoe overleef ik mijn vakantie? (1998)
Hoe overleef ik het jaar 2000? (1999)
Hoe overleef ik de brugklas? (2000) Genomineerd voor de Jonge Jury 2002
Hoe overleef ik mijn eerste zoen? (2001) Genomineerd voor de Kinderjury 2002
Hoe overleef ik mezelf? (2002) Prijs van de Kinderjury 2003, Hotze de Roosprijs 2004, Prijs van de Jonge Jury 2004
Hoe overleef ik een gebroken hart? (2003) Prijs van de Kinderjury 2004, Hotze de Roosprijs 2004, Prijs van de Jonge Jury 2005
Hoe overleef ik met/zonder jou? (2004) Prijs van de Kinderjury 2005, Hotze de Roosprijs 2005, Tina-Bruna-award 2005, Nickelodeon Award Best Children's Book, Prijs van de Jonge Jury 2006
Hoe overleef ik mijn ouders? (en zij mij!) (2005) Prijs van de Kinderjury 2006
Hoe overleef ik (zonder) liefde? (2006) Prijs van de Kinderjury 2007
Hoe overleef ik met/zonder vrienden? (2007)

Kijk ook op www.francineoomen.nl voor alle andere boeken die Francine geschreven heeft.

In september verschijnt het 11de deel in de *Hoe overleef ik…*-reeks.

Rosa gaat door met overleven!

Rosa begint aan haar eindexamenjaar, haar moeder heeft weer wilde plannen, Joya ziet het niet meer zitten en Neuz gaat op kamers. Allemaal kunnen ze best wat survivaltips gebruiken!

Eindelijk is het dan zover: Rosa's vriendje Neuz gaat op kamers. Een nieuw hoofdstuk in hun knipperlichtrelatie breekt aan.
Neuz kan nu doen en laten waar hij zin in heeft. De afwas weken laten staan bijvoorbeeld, muizen houden in het aanrechtkastje en zijn kamer versieren met vuile was. Eten en drinken wat en wanneer hij wil, en uitgaan zonder dat iemand controleert hoe laat hij thuiskomt (áls hij thuiskomt!).
Neuz is volgens zijn eigen zeggen 'volwassen', maar Rosa is dat nog niet en dat zorgt voor aardig wat problemen.
Alsof ze die thuis al niet genoeg heeft, met morrende vriendinnen, een Italiaanse stiefvader, een eigenwijze moeder en een halfbroertje in de peuter-puberteit.

Heb je *Het boek van Beer* al gelezen? Het is het vervolg op *Het zwanenmeer (maar dan anders)*, het Kinderboekenweekgeschenk dat Francine in 2003 schreef.

HOOFDSTUK 1

Ik heb honger. Ik heb altijd honger. Zelfs al heb ik me helemaal volgegeten, dan is er nog steeds dat lege, holle gevoel in mijn maag. En ik ben al te dik. Veel te dik, en lelijk ook. Maar dat kan me niets schelen. Het houdt mensen op een afstand, en dat is wel handig.

Ik heb geen vrienden, behalve mijn broer en mijn zus. Maar kun je je broer en je zus je vrienden noemen? Ik denk het niet. Voor vrienden moet je je best doen, om ze te krijgen en ze te houden. Voor je broer en zus niet. Je kunt er zo veel ruzie mee maken als je wilt, ze lopen toch niet weg. We zijn niet alleen broer en zus, maar ook nog eens een drieling. Ik vind dat heel gewoon, ik weet niet beter. Andere mensen maken er altijd een hoop ophef over. Maar dat doen ze over alles wat niet 'normaal' is.

Gelukkig zitten we niet samen in één klas. Pip is in groep acht blijven zitten. Ik zit in de tweede van het gym. Sam zit in twee havo en Pip zit nu in de brugklas van het vmbo, maar ik ben bang dat zelfs dat nog te moeilijk voor hem is. Ik vraag vaak of ik hem kan helpen, maar dat wil hij niet meer.

Ik maak me best zorgen over hem. Hij was altijd al anders dan de anderen, maar hij doet de laatste tijd echt vreemd. Sam maakt zich ook zorgen om hem, en om mij. En om papa, om Isabel en de hele wereld. Ik krijg het daar soms knap benauwd van. Ze bedoelt het goed, hoor, maar ze denkt dat ze overal

verantwoordelijk voor is. Ze speelt altijd de baas en doet net alsof ze onze moeder is. Want die hebben we niet.
Over papa hoeft ze zich eigenlijk geen zorgen meer te maken, vind ik. Het gaat een stuk beter met hem sinds de operatie. Hij had een prop in zijn kop. Zo noem ik het. Tumor is zo'n eng woord. Een wegversperring was het, een rotsblok in de rivier. Ze hebben zijn schedel opengezaagd en de prop eruit gehaald. Hij was bijna zo groot als een mandarijn, zeiden ze. Echt waar, ik verzin het niet. Ik heb zo'n operatie toevallig een keer op tv gezien, samen met Sam. Die keek vroeger altijd naar dat soort enge programma's. Ik niet, ik kijk bijna nooit tv, ik lees liever. Dat programma had ik gezien vóór de operatie. Toen vond ik het wel grappig, omdat het zo ongeloofwaardig was. Weet je hoe ze het doen? Eerst met een drilboor een gaatje boren, dan klop, klop met een beitel en dan met een zaag. Hup! Dak eraf. Getver. Je kunt je voorstellen hoe ik me voelde toen papa onder het mes lag.
Gelukkig had Pip dat programma niet gezien. Hij zat zoals gewoonlijk boven aan zijn bos te werken. Anders was hij zeker geflipt.
Pip is altijd ons kuikentje geweest. Er liggen altijd overal wolven op de loer, die hem proberen op te vreten. Op school, bedoel ik. Kinderen.
De laatste tijd wil hij niet meer dat wij ons met hem bemoeien. Daar is hij nu te groot voor, zegt hij. Maar ze zijn er nog steeds, die roofdieren.
Onze vader is schrijver van beroep. Of beter gezegd, hij was het. Héél beroemd. Zijn boeken zijn in wel twintig talen vertaald en daar krijgt hij nog steeds veel geld voor. Dat is het makkelijke van schrijver zijn: je schrijft een boek, en hup: het boek verdient zijn geld voor jou. Je hoeft er niks meer voor te doen. Het moet natuurlijk wel een goed boek zijn dat iedereen wil lezen. Anders verdien je er geen cent mee.

Toen papa thuiskwam uit het ziekenhuis hebben we een groot feest gehouden. Dat was voor de zomervakantie. Het was heel leuk. Ik heb nog weken daarna de restjes gegeten, zo veel lekkers hadden we ingeslagen. Isabel was er ook bij. Zij is vuilnisvrouw van beroep en ze is heel aardig. Eigenlijk heeft zij papa gered van de dood. We wisten namelijk niet dat hij die tumor in zijn hoofd had. Hij had wel heel vaak hoofdpijn, hij schreef al heel lang niet meer en hij zat maar op zijn kamer. Wij deden alles zelf. Nou ja, Sam dus voornamelijk. Alhoewel ik ook zo nu en dan echt wel mijn best doe. Maar ik ben nogal verstrooid. Ik zit meestal óf aan eten te denken óf aan de boeken die ik aan het lezen ben. Sam is in alles veel sneller en handiger. Ik doe alles altijd verkeerd. Maar dat kan ook komen omdat het me niet interesseert.
Isabel heeft papa vlak voor de zomervakantie aangereden, per ongeluk, hoor, met de vuilnisauto. Zij zat achter het stuur. Papa moest met de ambulance naar het ziekenhuis, met een gebroken been en een hersenpudding. Bij testen kwamen ze er toevallig achter dat die prop er zat. Als hij dat ongeluk niet had gehad, was hij er waarschijnlijk aan doodgegaan.
Het was dus een geluk bij een ongeluk. Ik ben Isabel voor eeuwig dankbaar.
We hebben geprobeerd haar over te halen om onze au pair te worden. Helaas had ze er geen zin in. Ze heeft er geen tijd voor, zegt ze. Wat ze dan de hele tijd doet, weet ik ook niet. Ze doet haar vuilnisophaalrondes maar drie keer per week. Ze komt wel regelmatig binnenwippen, en eens in de maand poetsen we met zijn allen het huis. Papa doet dan ook mee.
Het gaat dus een stuk beter met hem. Hij heeft zijn kruk niet meer nodig en hinkt nog maar een beetje. Maar schrijven doet hij nog steeds niet.
Mijn maag rammelt en ik kan niet slapen. Eigenlijk moet ik nu

niet eten. Sam heeft me uitgelegd dat je extra dik wordt van alles wat je 's avonds en 's nachts eet, omdat je niet beweegt. Dat doe ik toch al nauwelijks, hoor. Op de fiets naar school, tien minuten heen, tien terug, en van het ene lokaal naar het andere sjouwen.
Eigenlijk kan het me wél iets schelen, dat ik dik ben. Mijn kleren worden namelijk steeds te klein en ik durf geen nieuwe te kopen. De laatste keer dat ik mezelf in de spiegel van een paskamer zag, ben ik me helemaal te pletter geschrokken. Dat is denk ik minstens twee jaar geleden. Ik vraag altijd of Sam kleren voor me meebrengt. Haar grootste hobby is shoppen. Maar ja, zij heeft dan ook het figuur van een filmster, en ik van een olifant.
Zal ik naar beneden gaan om wat te eten, of niet? Dat is de vraag.
Ik moet een hartje trekken voor het antwoord. Ik doe mijn nachtlampje aan en klim uit bed. Tussen de stapels boeken door loop ik naar mijn bureau en steek mijn hand in de grote glazen pot.

Daar heb ik niks aan. Opeten dus.

anders verliefd werd. Jij bent en blijft gewoon mijn beste vriendin Jonalientje en ik jouw beste vriendje, goed? Verkering is toch eigenlijk maar een stom gedoe. Dat je maar één iemand lief mag vinden en zo. Als je veertien bent, gaat dat toch niet.
Niet dat ik op iemand anders ben, hoor. Ik heb wel een hele massa aanbidders, maar ik aanbid ze niet terug.

P.P.S. Dat is niet waar, hoor. Helaas vallen de Groningse suikerbieten niet op mij. En de suikerbietinnen vinden mij ook niet aardig. Daarom heb ik besloten dat ik mezelf ga veranderen. Ik ga een nieuwe Rosa uitvinden. Die is stoerder, leuker en spannender.
En die heet dus Rooz. Vandaar.

No fear

Rosa staat in de schuur. Het is er een enorme troep. Oude fietsen, een step, dozen, verroest tuingereedschap, kapotte meubels. Eén hoek van de schuur is echter volmaakt opgeruimd.
Dat is het gedeelte van Alexander. Gereedschap hangt ordelijk gerangschikt aan de muur, er zijn planken met keurige bakjes vol schroefjes en spijkers. Alexander haat rommel. Zijn gereedschapsafdeling is streng verboden gebied. Rosa heeft wel eens een tang geleend om haar zadel hoger te zetten en deze niet teruggebracht. Dat leverde aardig wat uurtjes kamerarrest op.
Ze opent de kast met verfspullen. Achter de keurig opgestapelde blikken staan twee spuitbussen, 'Autolak' staat erop. Een bus met zwarte verf, en een met goudkleurige. Bingo! Rosa pakt ze en zet de blikken weer netjes terug. Ze stopt de spuitbussen in haar schooltas, trekt haar fiets tussen de andere fietsen uit en rijdt naar school.
Onderweg kijkt ze met veel interesse naar de graffititekeningen die hier en daar op de muren staan. Sommige zijn niet meer dan een slordige handtekening, andere zijn echte kunstwerken. Rosa stopt bij een viaduct en kijkt met open mond omhoog.
NO FEAR! staat er met enorme letters in prachtige regenboogkleuren. Hoe kan iemand dáár nou in hemelsnaam bij komen? Ondersteboven bungelend aan een touw?

Ook opeten.

Dat is wel een antwoord: leuk. Eten is leuk. Op naar de koelkast!

Uitgeverij Querido stelt alles in het werk om op milieuvriendelijke en duurzame wijze met natuurlijke bronnen om te gaan. Bij de productie van dit boek is gebruikgemaakt van papier dat het keurmerk van de Forest Stewardship Council (FSC) mag dragen. Bij dit papier is het zeker dat de productie niet tot bosvernietiging heeft geleid.

Mixed Sources
Productgroep uit goed beheerde bossen, gecontroleerde bronnen en gerecycled materiaal.
www.fsc.org Cert no. CU-COC-802528